JAMIE OLIVER

30

MINUTOS
E PRONTO

Outros títulos de Jamie Oliver
já publicados no Brasil pela Editora Globo

O chef sem mistérios
O retorno do chef sem mistérios
A Itália de Jamie
Jamie em casa
Revolução na cozinha
A América de Jamie Oliver
Jamie viaja
15 minutos e pronto
Economize com Jamie

JAMIE OLIVER
30
MINUTOS
E PRONTO

Fotografias de
DAVID LOFTUS

GLOBO*estilo*

Texto fixado conforme as regras do Novo Acordo Ortográfico da Língua Portuguesa (Decreto Legislativo nº 54, de 1995).

Título original: Jamie's 30 minute meals
Editor responsável: Aida Veiga
Editor assistente: Elisa Martins
Tradução: Evelyn Kay Massaro
Edição e paginação: Clim Editorial
Revisão: Maria Aparecida Medeiros

1ª edição, 2012
8ª reimpressão, 2014

Impressão e acabamento: Pancrom

Dados Internacionais de Catalogação na Publicação (CIP)
(Câmara Brasileira do Livro , SP , Brasil)

Oliver, Jamie
  30 minutos e pronto / Jamie Oliver ; tradução
de Evelyn Kay Massaro ; fotografias David
Loftus . -- São Paulo : Globo , 2012 .

  Título original: Jamie's 30 minute meals
  ISBN 978-85-250-5135-6

  1 . Culinária 2 . Receitas I . Loftus , David .
II . Título .

12-02838
CDD-641 . 5

Índices para catálogo sistemático :
1 . Receitas : Culinária   641 . 5

Direitos de edição em língua portuguesa para o Brasil adquiridos por Editora Globo S. A.
Av. Jaguaré, 1485 – CEP 05346-902 – São Paulo – SP
www.globolivros.com.br

jamieoliver.com

SIMON LAURENCE KINDER
7 de abril de 1962 – 16 de maio de 2010

Dedico este livro a Simon Kinder, um amigo querido que infelizmente faleceu. Ele era Diretor Administrativo da Magimix UK e uma das melhores e mais amadas figuras da indústria de alimentação. Foi certamente uma pessoa com quem eu gostava de conviver e sua paixão por comida e sua amizade eram apreciadas por todos. Simon fará muita falta para mim e minha equipe, bem como para todos os funcionários da sua área na Magimix. Nosso amor vai para seus formidáveis filhos, Max e Katya, a mãe deles, Monica, e para toda a sua família.

Ele teria adorado este livro porque usamos muito processadores de alimentos e liquidificadores para ganhar tempo. Deus o abençoe.

AS REFEIÇÕES

ORECCHIETTE COM BRÓCOLIS   salada de abobrinha e bocconcini, salada de melão e presunto cru   24

MASSA À JOOLS GRÁVIDA   salada de rúcula e agrião, tortinhas de frangipane   30

MACARRÃO COM COUVE-FLOR   salada de endívia com molho maluco, frutas cozidas deliciosas   34

RIGATONI À TRAPANI   salada de endívias assadas, salada de rúcula e parmesão, trifle de limoncello   40

MASSA COM GEMAS   salada com ervas, tortinhas de pera   44

LASANHA VEG DE VERÃO   salada de tomate à toscana, frozen iogurte de manga na casquinha   48

ESPAGUETE À PUTANESCA   salada crocante, pão de alho, ganache sedoso de chocolate   54

PIZZA DO CHEAT   3 saladas deliciosas, creme de mascarpone com cerejas esmagadas   58

RISOTO CREMOSO DE COGUMELOS   salada de espinafre, cheesecake rápido de limão e framboesa   64

TORTA FILO DE ESPINAFRE E QUEIJO FETA   salada de pepino, salada de tomate, sorvete com cobertura   70

SOPA DE TOMATE   croûtons reforçados, guacamole & vegetais, grude de ameixa   76

CURRY ROGAN JOSH   arroz soltinho, salada de cenoura, chapatis   80

CURRY VERDE   frango crocante, salada kimchi, noodles de arroz   86

TORTA DE FRANGO   ervilhas à francesa, purê de cenoura, frutas vermelhas, biscoitos & chantilly   90

FRANGO COM MOSTARDA   dauphinoise rápida, salada verde, affogato floresta negra   96

FRANGO NA TRAVESSA   batatas esmagadas, creme de espinafre, refresco de morango   102

FRANGO COM MOLHO JERK   arroz & feijão, salada refrescante, milho grelhado   106

ESPETINHOS DE FRANGO   molho satay, salada picante de macarrão, frutas & açúcar de hortelã   110

FRANGO RECHEADO À CIPRIOTA   aspargos & tomates na panela, salada de repolho, refresco de São Clemente, float de sorvete   116

FRANGO PIRIPÍRI   batatas temperadas, salada de rúcula, tortinhas portuguesas rápidas   120

SALADA DE PATO   croûtons gigantes, arroz-doce com ameixa cozida   126

CURRY DE CAMARÃO À TAILANDESA   arroz de jasmim, salada de pepino, travessa de papaia   130

SARDINHAS ASSADAS   halloumi crocante, salada de agrião & figo, musse densa de chocolate   134

BACALHAU CROCANTE   purê de ervilha à minha moda, molho tártaro, salada verde quente   140

BOLINHOS DE PEIXE À SUECA   minibatatas assadas, salada de brotos, salsa fresca vigorosa   146

VIEIRAS DE PANELA arroz com pimenta-doce, salada verde, brownies rápidos 150

TAGINE DE PEIXE MUITO, MUITO BOM salada de erva-doce, cuscuz, chá de laranja e hortelã 154

SALMÃO DEFUMADO salada de batata, beterraba & queijo cottage, pão de centeio & manteiga caseira 160

CHOWDER DE MILHO E HADOQUE DEFUMADO camarões picantes, salada arco-íris, raspadinha de framboesa 164

BANDEJA DE PEIXE batata com hortelã, salsa verde, salada de espinafre, torta banoffee 168

MEXILHÕES BLOODY MARY salada de ervas, glorioso mil-folhas de ruibarbo 174

ROBALO COM PANCETTA purê de batata-doce, vegetais verdes, sorvete de frutas vermelhas de 1 minuto,

  limonada com gengibre 180

SALMÃO À MODA ASIÁTICA sopa de macarrão, salada de brotos de feijão, sobremesa de lichia 186

SALMÃO CROCANTE arroz incrementado, salada de abobrinha, guacamole deslumbrante, spritzer de frutas vermelhas 190

ROSBIFE bolinhos, minicenouras, batatas crocantes, molho super-rápido 194

STEAK SARNIE batatas novas, cogumelos ao queijo, salada de beterraba 200

CONTRAFILÉ NA CHAPA macarrão dan dan, chá de hibisco gelado 204

CARNE MOÍDA RÁPIDA batata assada, salada deusa, lindo feijão-branco com bacon 210

BIFE À MODA INDIANA salada de espinafre & queijo panir, dip de iogurte, sobremesa de manga 216

SANDUÍCHE DE ALMÔNDEGAS picles de repolho, salada picada, sorvete de banana 220

FÍGADO COM BACON molho de cebola, batata amassada, verdura cozida, ripple de frutas e creme 226

FOCACCIA RECHEADA presunto cru, remoulade de aipo-rábano, muçarela com pesto, granita de limão 230

FILÉ DE PORCO ASSADO & LINGUIÇA molho de cogumelo, purê de aipo-rábano, vagem ao alho 236

COSTELETAS DE PORCO & TORRESMO batatas esmagadas, repolho com hortelã, pêssegos com creme 240

CASSOULET DE FORNO COM LINGUIÇA salada quente de brócolis, merengues 244

PIQUENIQUE INGLÊS folhados de linguiça, patê de cavala, aspargos grelhados, salada com pera, Eton mess 250

LINGUIÇA ENROLADA purê com raiz-forte, salada de maçã, molho de sálvia e alho-poró, maçãs recheadas 256

FESTA DAS TAPAS tortilla, chorizo glaceado, queijo manchego, carnes curadas, pimentões recheados, espetinhos de anchova 260

CORDEIRO À MARROQUINA pimentão recheado com queijo, pão sírio, cuscuz com ervas, refresco de romã 264

CORDEIRO DE PRIMAVERA travessa de vegetais, molho de hortelã, molho de Chianti, fondue de chocolate 268

SOU MUITO OCUPADO... FICA CARO DEMAIS... NÃO SEI COZINHAR...

Quando pergunto às pessoas por que não cozinham em casa com maior frequência, sempre ouço essas desculpas. Mas eu sei que, com o equipamento certo, um pouco de organização e receitas testadas, elas caem por terra. Seja um cozinheiro brilhante ou um iniciante, este livro faz exatamente o que promete na capa. Acredito sinceramente que, se você se dedicar a preparar minhas refeições completas em 30 minutos, elas modificarão seu modo de cozinhar para sempre.

O aspecto mais revolucionário deste livro não é o fato de as refeições serem preparadas com rapidez (é verdade) ou porque explico atalhos e truques espertos (também é verdade), mas é que eu o escrevi de uma maneira única. Vou acompanhar você passo a passo no preparo de uma refeição completa, de modo que em 30 minutos você estará servindo ao mesmo tempo lindos drinques, pratos principais saborosos, saladas e acompanhamentos encantadores e sobremesas deliciosas – tudo a partir de uma única receita! Criei 50 refeições incríveis para você: pratos com carne, opções vegetarianas, massas rápidas e doces que você jamais acreditaria que conseguiria fazer em meia hora.

Quero que este livro ajude você a saltar para um nível mais alto, onde poderá comer muito bem e alimentar sua família com refeições realmente nutritivas, cozinhando rapidamente e com estilo. Vou ensiná-lo a usar sua cozinha de uma maneira nova, diferente, mas divertida, e os resultados vão deixar você de boca aberta.

ACREDITE, VOCÊ TEM TEMPO

Você pode ser a pessoa mais ocupada deste mundo, mesmo assim precisa comer. Quero mostrar que em apenas 20 ou 30 minutos – quase o mesmo tempo gasto para aquecer uma refeição congelada no forno, assistir alguma coisa na TV ou pedir uma comida pelo telefone – você pode ter na sua mesa uma ótima refeição preparada em casa.

De repente me dei conta de que o modo como eu estava cozinhando durante a semana não era eficiente. Como sei cozinhar, eu ficava inventando novidades, o que significava que, embora a comida ficasse deliciosa, minha abordagem era um tanto caótica e eu terminava gastando muito tempo cozinhando e lavando um monte de louças, quando poderia ter ficado mais tempo com as crianças para colocá-las na cama e contar uma boa história. Assim, comecei a elaborar um planejamento para preparar as refeições de segunda a quinta-feira de maneira metódica. Até agora, não me arrependi.

É claro que nos fins de semana, como estou mais tranquilo, não economizo tempo na cozinha. Aproveito para organizar as listas de compras e adiantar pratos para os jantares

da semana, que é sempre muito corrida. Atualmente, o tempo que as pessoas passam com a família parece ter caído para o fim da lista das prioridades, por isso espero ajudá--las a fazer pratos bonitos, gostosos e rápidos para juntar a família em torno da mesa.

NÃO É CARO DEMAIS

Nunca tive a intenção de fazer deste livro uma coleção de receitas baratas; há refeições aqui para agradar o mais gourmet dos gourmets. Mas, como sou curioso, calculei o preço das refeições comparando-as com seus equivalentes no comércio e descobri que fica muito mais barato fazê-las em casa do que comprá-las prontas em restaurantes, rotisserias ou supermercados. E mais, pense nisso: você pode sentar-se com a família e amigos em sua casa e desfrutar uma mesa fantástica por menos do que gastaria em qualquer outro lugar. Mais uma vantagem: sabendo exatamente o que entrou no preparo dos pratos, sua saúde vai agradecer. Simplesmente brilhante!

Também descobri muitas dicas e truques ótimos cozinhando dessa nova maneira e os incluí nas receitas deste livro – espero que eles o ajudem a se tornar um cozinheiro mais rápido e mais inteligente, não importa o que estiver preparando. A longo prazo, isso também o auxiliará a economizar, porque você será capaz de cozinhar pratos deliciosos com ingredientes simples em um mínimo de tempo.

VOU ENSINÁ-LO COMO FAZER

Essas receitas foram cuidadosamente testadas para não desperdiçarmos nem um único minuto. Tomei o máximo cuidado para eliminar as tarefas mais chatas como planejamento do cardápio e tempos de cozimento. Tudo o que você tem a fazer é seguir minhas instruções passo a passo, trabalhar rapidamente e se divertir. Se de início demorar um pouco mais e sua cozinha ficar bagunçada, não se preocupe – isso faz parte e tenho certeza de que você vai melhorar radicalmente à medida que for praticando. Lembre-se de que estou ensinando a cozinhar de uma maneira muito diferente. Como andar de bicicleta, aprender a dirigir ou fazer amor, talvez você não consiga ser bem--sucedido na primeira vez, mas os benefícios que colherá quando se transformar num craque serão incríveis!

Não posso negar que este livro exige muita energia. As 50 refeições vão mantê-lo superocupado e transformá-lo numa pessoa de múltiplas atividades, mas você logo se acostumará e até acredito que ficará meio viciado nele. Não quero que faça as receitas do seu jeito, substitua os meus modos de preparação por outros com os quais está acostumado (pelo menos, não de início) nem use medidas e ingredientes diferentes dos que indico, porque essas receitas foram testadas pela minha equipe, minha gangue do escritório e até estranhos, por isso tenho certeza de que elas funcionam. Naturalmente, haverá noites em que você só quer se afundar no sofá com sua mulher (ou marido) e comer uma salada ou uma massa simples. Se for este o caso, escolha apenas um dos itens de uma refeição porque eles estão bem destacados e são fáceis de localizar. Entretanto, este livro trata do preparo de refeições completas, portanto, quando todos estão reunidos, em menos de meia hora você pode criar algo muito especial.

Para ter êxito, quero que se acostume a entrar no "estado de espírito de refeições em 30 minutos", que começa com a organização da sua cozinha e dos utensílios. Nas páginas que se seguem, fiz listas de tudo o que é preciso para vencer esse desafio. Isso vai ajudá-lo muito, então, por favor, leia com atenção antes de começar qualquer receita. Encare essa seção como um chamado à ação e empolgue-se com ela!

Você perceberá que estou sendo direto e objetivo em todo o livro, mas há bons motivos para isso. Quero que no final você termine com duas coisas que todos nós queremos: comida bonita e saborosa capaz de fazer um enorme sucesso e mais tempo para passar com as pessoas que amamos. Portanto, vá em frente e divirta-se!

Jamie Oxx

P.S. ⌨ Quando você vir esse símbolo nas receitas, vá para www.jamieoliver.com/30MM, onde encontrará o vídeo daquela técnica na seção *How to*. Existem muitos outros vídeos ótimos no meu site (incluindo um sobre habilidades com facas), fotos passo a passo, sugestões e todos os tipos de dicas para ajudá-lo a se tornar uma perfeita máquina de cozinhar.

RECUPERE SUA COZINHA PARA O QUE ELA FOI CRIADA

Muitas pessoas tentam cozinhar o jantar com brinquedos das crianças embaixo dos pés, revistas sobre a mesa, contas empilhadas em cima da geladeira, chaves, roupa suja, sapatos e outras tranqueiras em volta. Isso, porém, vai mudar porque meu objetivo é ajudá-lo a deixar sua cozinha bem agradável, apenas com o essencial e o mais adequada possível para você poder cozinhar refeições incríveis em qualquer noite da semana. Não permita que os outros cômodos da casa invadam seu espaço culinário e, se você detectar qualquer objeto que se encaixe nas categorias acima, encontre um lugar para ele fora da sua cozinha.

Organize os seus utensílios

Reserve uma ou duas horas para pegar todos os utensílios que existem na sua cozinha. Quais fazem parte da lista de essenciais da página 21? Separe esses. Se encontrar panelas, caldeirões ou qualquer tipo de bugiganga que só serão usados uma ou duas vezes por ano, junte tudo e enfie num armário bem longe do seu caminho. Isso feito, sua tarefa de cozinhar fluirá muito melhor.

Verifique tudo

Antes de começar a preparar uma refeição, leia toda a receita para identificar outros pequenos itens de que irá precisar. Tenha tudo à mão para a hora da necessidade. Por exemplo, se sabe que terá de colocar alguma coisa no *freezer*, antes de começar certifique-se de que há espaço suficiente para não ficar todo atrapalhado na hora.

Acho extremamente prático manter os utensílios compridos, como pegadores, facas de peixe ou colheres de pau dentro de um grande pote perto do fogão para usar quando estou cozinhando, mas faça o que for mais adequado para você e o seu espaço. Potes de vidro transparente são fantásticos para guardar ingredientes, como farinha, açúcar, condimentos e ervas, assim você encontra rapidinho o que vai usar.

Limpe enquanto avança

Cozinhar as refeições será uma tarefa absorvente e veloz, por isso ter uma lata de lixo ou tigela por perto é uma ótima ideia. Trabalhar numa pia limpa e ir pondo as louças na lavadora enquanto avança evitará que sua cozinha fique parecendo um terreno bombardeado quando a comida estiver pronta. Essas dicas podem parecer muito básicas, mas fazem toda a diferença.

Abra espaço para o jantar

Limpe a mesa antes de começar a cozinhar. Se ela estiver atulhada de coisas, sua comida linda e quente terá de ficar esperando enquanto você faz a arrumação.

UMA RÁPIDA PALAVRA SOBRE INGREDIENTES

Acredito que vocês todos me conhecem o suficiente para saber que quando uso ovos ou frango numa receita quero que você compre ovos orgânicos e frango caipira, criado em liberdade. O mesmo vale para a carne de porco. Precisamos levar em conta um mundo de detalhes quando vamos comprar ingredientes, e a indústria alimentícia está constantemente mudando e evoluindo. Para esclarecer, são estes os critérios que uso para comprar:

Ovos: Sempre grandes, de preferência orgânicos

Frango: Criado em liberdade, de preferência

Porco: Criado em liberdade, de preferência

Gelatina: De carne ou vegetal, não de suíno

Peixe: Pescado de maneira sustentável

Salmão: Criado em pesqueiros com padrões orgânicos

Caldo de galinha, carne ou vegetais: Orgânicos, de preferência

Maionese: De boa qualidade, de preferência feita com ovos caipiras

Suspiros: De preferência feitos com ovos caipiras

Massas pré-assadas: De preferência feitas com ovos caipiras

Macarrão com ovos: De preferência feito com ovos caipiras

ESTES VOCÊ PRECISA TER

Como é meu dever ajudá-lo a preparar as refeições deste livro de maneira rápida e eficiente, vou ser bem franco: você PRECISA ter os utensílios listados na página ao lado para ser bem-sucedido nessa tarefa. Sem certos itens, como um processador de alimentos ou liquidificador, de maneira nenhuma você conseguirá trabalhar com a rapidez necessária.

Eu fiz um orçamento para todos os itens nos sites ingleses Argos, Debenhams e John Lewis (quando o livro foi impresso na Inglaterra) e, se você for partir do zero, comprará tudo o que está na lista por aproximadamente 300 libras (N. do T. – Equivalente a cerca de R$ 815,00), incluindo o processador de alimentos e o liquidificador. (N. do T. – No Brasil, custaria cerca de R$ 1.600,00.) Naturalmente, nos diferentes sites e lojas os produtos variam de baratos a caríssimos. Quer você deseje gastar o mínimo possível ou investir muito dinheiro, comprar todos os itens da lista não é uma meta inatingível. Comece comprando o que puder e vá completando o conjunto aos poucos – quanto mais tiver, mais refeições conseguirá fazer e logo estará cozinhando mais rápido e mais gostoso.

Pessoalmente, quando se trata de coisas para toda a vida, como facas, panelas e equipamentos elétricos, penso que vale a pena gastar um pouco mais e comprar produtos de boa qualidade. Portanto, economize ou aproveite aniversários, festas de fim de ano e listas de casamento para pedir descaradamente os itens mais caros que faltam. Agora, se você não tem um espremedor de alho ou um descascador com lâmina oscilante, deixe de tomar um dia seu chopinho e use esse dinheiro para comprá-lo.

A maioria de nós come três vezes por dia, todos os dias de nossa vida. Gastar dinheiro com comida congelada, comprada pronta ou *fast food* porque você não quer investir dinheiro em sua cozinha é uma falsa economia. Esses utensílios se pagarão cem vezes a longo prazo, por isso – pelo seu bem, de sua família e de seus futuros convidados –, a prioridade tem de ser a cozinha. Se não for, estará somente querendo se enganar.

UMA RÁPIDA PALAVRA SOBRE MICRO-ONDAS

Incluir um forno de micro-ondas na minha lista de utensílios é uma grande novidade para mim! Mas, como ele se tornou sinônimo de refeições rápidas e li que mais de 92% dos lares no Reino Unido têm um micro-ondas (N. do T. – Segundo o censo de 2000, 28% dos lares brasileiros tinham forno de micro-ondas), seria maluquice minha acreditar que você ainda não possui um. Aqui você estará usando seu micro-ondas para liberar espaço no fogão e cozinhar mais rápido. As receitas foram testadas usando um forno de 800 W e talvez você tenha de ajustar os tempos e a potência se o seu forno não for igual.

A LISTA

Processador de alimentos com os seguintes acessórios: batedor de lâminas, discos de fatiar grosso e fino, discos de ralar grosso e fino, batedor de arame e batedor de massa

Liquidificador

Forno de micro-ondas

Batedeira elétrica

Chaleira

Forma redonda

Chapa para fogão (aprox. 25 cm x 29 cm)

Frigideira antiaderente grande com tampa (aprox. 30 cm)

Frigideira antiaderente média com tampa (aprox. 26 cm)

Frigideira antiaderente pequena com tampa (aprox. 20 cm)

Panela grande com tampa (aprox. 24 cm)

Panela média com tampa (aprox. 20 cm)

Panela pequena com tampa (aprox. 16 cm)

Panela para cozimento a vapor com três partes

Assadeira grossa e funda (aprox. 28 cm x 35 cm)

Assadeira grossa média

Assadeira de alumínio (aprox. 26 cm x 30 cm)

Assadeira antiaderente

Grade de arame

Forma de bolinhos de 6 cavidades

Forma de tortinhas de 12 cavidades rasas (ou 12 forminhas)

3 facas de boa qualidade: faca do chef, faca para legumes, faca de pão

2 tábuas de cortar de plástico

2 tábuas de cortar de madeira grandes

1 conjunto de tigelas de tamanhos variados

Escorredor de massa

Peneira fina

Pilão

Espremedor de alho

Pegador grande

Espátula perfurada

Colheres de pau

Concha

Escumadeira

Espátula

Espremedor de batata

Descascador de legumes com lâmina oscilante

Ralador 4 faces com diferentes orifícios

Ralador manual fino

Jarra medidora

Balança

Xícaras e colheres de medida

Batedor de arame

Abridor de lata

Abridor de garrafa

Rolo de massa

Pincel para massas

Colher de sorvete

Papel-alumínio, papel-manteiga

Filme plástico para uso em micro-ondas

UTENSÍLIOS PARA SERVIR

Este livro está cheio de delícias que você irá compartilhar com sua família e amigos, por isso vejo a mesa como o coração e a alma das minhas refeições que ficam prontas em 30 minutos. Todos os pratos lindos e apetitosos que você vai criar serão servidos sobre ela e saboreá-los juntos deverá ser uma experiência agradável e divertida. Como meu trabalho é contribuir para o seu sucesso, estou dando uma lista de louças, copos e outras coisinhas que sempre uso para servir. Essas peças não são "essenciais", como os utensílios de cozinha da página anterior, mas na minha opinião são incrivelmente importantes para criar o visual de uma mesa charmosa e convidativa.

- Travessas de todos os modelos e tamanhos – novas ou antiguidades, de acordo com seu gosto

- Tigelas grandes e bonitas para saladas, sopas, vegetais e sobremesas

- Tábuas grandes feitas de madeira e com bom aspecto, sobre as quais possa servir alimentos, como pães, queijos etc.

- Esteirinhas, placas de madeira ou até azulejos bonitos para colocar as travessas e panelas quentes que vão diretamente do forno à mesa

- Frigideiras e panelas bonitas para irem diretamente à mesa (vale a pena pensar nisso quando for comprar panelas, assim elas terão duas utilidades)

- Xícaras de chá que possam servir como tigelinhas de sobremesa (acho mais bonito quando elas não são iguais)

- Copos grandes ou jarras para colocar os talheres (quem disse que você precisa pôr a mesa todas as noites?)

- Tigelinhas para molhos e dips

- Molheiras ou jarrinhas de vidro para caldas e temperos

- Uma bela jarra de 1 litro para as bebidas

ORECCHIETTE COM BRÓCOLIS

SALADA DE ABOBRINHA E BOCCONCINI

SALADA DE MELÃO E PRESUNTO CRU

SERVE 6

MASSA

125 g de queijo parmesão
1 maço grande de brócolis
200 g de brócolis roxo
30 g de anchova em óleo
1 colher (sopa) bem cheia de
  alcaparras
2 pimentas vermelhas secas
3 dentes de alho
alguns ramos de tomilho fresco
500 g de *orecchiette* seco

SALADA DE ABOBRINHA

3 ramos grandes de hortelã fresca
½ pimenta vermelha fresca
1 limão
200 g de abobrinhas italianas baby
125 g de *bocconcini* (bolinhas)
  de muçarela

TEMPEROS

azeite de oliva
azeite de oliva extravirgem
sal marinho e pimenta-do-reino

SALADA DE MELÃO E PRESUNTO CRU

um maço pequeno de manjericão
  fresco
½ limão
12 fatias (230 g) de presunto cru
1 melão cantaloupe
vinagre balsâmico

PARA COMEÇAR Pegue todos os ingredientes e utensílios de que irá precisar. Instale o disco de ralar fino no processador. Coloque água na chaleira e leve para ferver. Coloque uma frigideira grande em fogo baixo.

MASSA Tire a casca do parmesão e reserve. Rale o queijo no processador e coloque numa tigela. Separe os buquês de brócolis dos talos com uma faca. Também separe os buquês do brócolis roxo e pique somente os mais macios. Reserve os buquês de brócolis e os talos mais tenros.

Instale o batedor de lâminas no processador. Corte ao meio os talos de brócolis mais duros e coloque no processador, depois adicione as anchovas com seu óleo e as alcaparras escorridas. Quebre a pimenta vermelha seca por cima. Descasque e acrescente os 3 dentes de alho, depois pulse toda a mistura até obter uma pasta. Passe a água fervente para uma panela grande e funda e leve ao fogo alto.

Coloque aproximadamente 3 colheres (sopa) de azeite na frigideira grande e adicione a pasta de brócolis. Mexa bem, depois acrescente algumas folhas de tomilho (descarte os talos). Despeje 1 taça (de vinho) de água na frigideira e junte a casca de parmesão reservada. Dê uma boa mexida e aumente o fogo para médio. Fique de olho, mexendo de vez em quando. Encha a chaleira com água até a metade e leve de volta ao fogo.

Coloque os *orecchiette* na panela de água fervente com uma pitada de sal e cozinhe de acordo com as instruções da embalagem, com a tampa semiaberta. Agora você tem uns 12 minutos, que é o tempo de cozimento da massa, para fazer as duas saladas, por isso, pé no acelerador!

SALADA DE ABOBRINHA Pique as folhas de hortelã sobre a tábua. Junte ½ pimenta vermelha. Rale por cima a casca de ½ limão e depois pique finamente a pimenta junto com a hortelã. Passe para uma travessa e regue com 3 colheres (sopa) de azeite extravirgem e o suco de ½ limão. Adicione uma pitada de sal e pimenta, experimente e, se necessário, corrija o tempero. Com o fatiador de legumes,

corte as abobrinhas em fatias, no sentido do comprimento, sobre a mistura. Escorra a muçarela, coloque as bolinhas sobre a abobrinha e leve à mesa para mexer e temperar no último minuto.

MASSA Mexa o macarrão e complete com mais água fervente, se for necessário. Depois de 5 minutos de cozimento, adicione os buquês de brócolis e os talos tenros picados reservados e acrescente mais um pouco de água.

SALADA DE MELÃO E PRESUNTO CRU Retire as folhas de manjericão dos talos, reservando as menores. Coloque as folhas grandes no pilão, junto com uma pitada de sal, e soque até obter uma pasta. Adicione 2 colheres (sopa) de azeite extravirgem e uma boa porção de suco de limão. Arranje as 12 fatias de presunto em torno de uma travessa, deixando um espaço no meio. Corte o melão ao meio, elimine as sementes e, com uma colher, tire pedaços da fruta para colocá-los no centro da travessa. Regue com um fio de vinagre balsâmico e distribua um pouco das folhas de manjericão reservadas. Aperte os pedaços de melão para soltar o suco no tempero e misture, depois leve a travessa à mesa, com o pilão e uma colher para despejar o tempero por cima.

MASSA Escorra o macarrão com brócolis, reservando um pouco da água do cozimento, e despeje na frigideira onde está a mistura processada. Descarte a casca do parmesão. Acrescente bastante queijo ralado e uma concha ou mais da água do cozimento. Rapidamente e com cuidado, mexa bem o macarrão até obter uma pasta brilhante, solta e bonita. Experimente e corrija os temperos, depois passe para uma travessa e polvilhe mais queijo ralado. Regue com um fio de azeite e espalhe por cima o restante das folhas de manjericão reservadas. Leve à mesa com o restante do parmesão ralado para polvilhar.

PARA SERVIR Quando todos estiverem prontos para comer, use 2 garfos para misturar a abobrinha e as bolinhas de muçarela. Coloque essa salada perto da linda massa e da salada de melão e presunto.

MASSA À JOOLS GRÁVIDA

SALADA DE RÚCULA

E AGRIÃO

TORTINHAS DE FRANGIPANE

SERVE 6

MASSA

4 cebolinhas verdes
1 cenoura
1 talo de salsão (aipo)
1-2 pimentas vermelhas frescas
6 linguiças (400 g) de boa qualidade
1 colher (chá) de erva-doce
1 colher (chá) de orégano seco
500 g de macarrão *penne* seco
4 dentes de alho
4 colheres (sopa) de vinagre balsâmico
1 lata (400 g) de tomate pelado picado
alguns ramos de manjericão fresco

SALADA

2 *radicchi*
1 embalagem (100 g) de agrião e rúcula pré-lavados
queijo parmesão, para cortar em lascas
1 limão

TEMPEROS

azeite de oliva
azeite de oliva extravirgem
sal marinho e pimenta-do-reino

TORTINHAS

6 bases fundas de massa podre para tortinhas
1 ovo
100 g de amêndoas moídas
100 g de manteiga
90 g de açúcar cristal
1 laranja
1 colher (sopa) de essência de baunilha
180 g de geleia de framboesa de boa qualidade
250 g de *crème fraîche*, para servir
(N. do T. – Como é difícil encontrar, substitua por 3 partes de creme de leite fresco e 1 parte de iogurte natural; misture e deixe na geladeira de um dia para o outro)

PARA COMEÇAR Arrume todos os ingredientes e utensílios que irá usar. Preaqueça o forno a 190°C. Encha a chaleira de água e leve para ferver. Coloque uma frigideira grande sobre fogo alto. Instale o batedor de lâminas no processador.

MASSA Limpe as cebolinhas, a cenoura e o salsão. Pique grosseiramente e depois bata no processador com as pimentas vermelhas (sem o cabo). Acrescente as linguiças desmanchadas, 1 colher (chá) de erva-doce e 1 colher (chá) de orégano seco. Pulse até obter uma mistura homogênea, despeje-a na frigideira quente junto com um pouco de azeite e mexa para espalhar a mistura na frigideira. Continue mexendo e controlando enquanto cuida das outras tarefas. Coloque uma panela grande e funda em fogo brando e encha com água fervente. Volte a encher a chaleira e pôr para ferver.

TORTINHAS Coloque os 6 fundos de tortinha numa assadeira. Para fazer o frangipane (N. do T. – creme feito com amêndoas), quebre o ovo numa tigela e acrescente 100 g de amêndoas moídas, 100 g de manteiga e 90 g de açúcar cristal. Rale por cima a casca de ½ laranja e adicione a baunilha. Misture bem com uma colher.

Coloque uma colher (chá) de geleia dentro de cada fundo de tortinha. Cubra com uma colher (chá) bem cheia de frangipane, adicione outra colherinha de geleia e cubra com outra colherada de frangipane. Leve a assadeira ao forno, posicionando-a na grade do meio, e ajuste o timer para 18 minutos exatos.

MASSA Se necessário, coloque mais água fervente na panela. Tempere com sal, depois adicione o macarrão e cozinhe conforme as instruções da embalagem, com a tampa semiaberta.

SALADA Descarte a base dos *radicchi*, separe todas as folhas e corte o coração em quartos. Coloque numa travessa, depois espalhe o agrião e a rúcula por cima e misture rapidamente com as mãos.

MASSA Esprema 4 dentes de alho descascados e coloque na mistura de linguiça. Junte 4 colheres (sopa) de vinagre balsâmico e o tomate picado. Adicione um pouco da água do cozimento do macarrão se o molho estiver muito espesso.

SALADA Corte lascas do parmesão sobre a salada e leve-a à mesa junto com uma garrafa de azeite extravirgem, sal, pimenta-do-reino e gomos de limão para temperar a gosto na hora de comer.

MASSA Escorra o macarrão, reservando cerca de 1 taça (de vinho) da água do cozimento. Despeje na panela do molho, mexendo delicadamente, e acrescente a água para dar um brilho sedoso ao *penne*. Experimente o tempero, corrija, passe para uma tigela e leve à mesa. Espalhe algumas folhas de manjericão e rale por cima o restante do parmesão.

TORTINHAS Quando as tortinhas estiverem assadas e douradas, desligue o forno e retire a assadeira. Sirva ainda quentes, com uma boa colherada de *crème fraîche*.

MACARRÃO COM COUVE-FLOR

SERVE 6

SALADA DE ENDÍVIA COM MOLHO MALUCO
FRUTAS COZIDAS DELICIOSAS

MACARRÃO COM COUVE-FLOR

8 fatias de *pancetta*
1 couve-flor grande
500 g de macarrão seco
250 g de queijo *cheddar* curado
4 fatias grossas de pão caseiro
alguns ramos de alecrim fresco
2 dentes de alho
250 g de *crème fraîche* (veja página 32)
queijo parmesão ralado, para servir

SALADA

2 endívias vermelhas (ou *radicchio*)
2 endívias brancas grandes
um maço pequeno de manjericão
1 dente de alho
15 g de anchova em óleo
1 colher (chá) de mostarda Dijon
2 colheres (sopa) de iogurte natural
3 colheres (sopa) de vinagre
   de vinho tinto
um pouco de alcaparras escorridas

TEMPEROS

azeite de oliva
azeite de oliva extravirgem
sal marinho e pimenta-do-reino

FRUTAS COZIDAS

18 ameixas maduras ou uma mistura
   de frutas semelhantes, como
   nectarinas ou damascos
1 colher (chá) de essência de
   baunilha
2 colheres (sopa) bem cheias de
   açúcar cristal
1 laranja
1 pau de canela
opcional: uma boa borrifada de
   conhaque
500 ml de sorvete de baunilha de
   boa qualidade

PARA COMEÇAR Separe todos os ingredientes e utensílios que vai usar. Encha a chaleira de água e leve para ferver. Preaqueça o forno a 220°C. Instale o disco de ralar grosso no processador de alimentos.

MACARRÃO Arrume as fatias de *pancetta* numa assadeira (30 cm x 25 cm, ou grande o bastante para conter todo o macarrão) e coloque na grade superior do forno. Elimine as folhas mais grossas e o talo da couve-flor e corte-a em quartos. Coloque-a numa panela grande, com os talos para baixo, junto com o macarrão, cubra com água fervente e leve ao fogo alto. Encha a chaleira novamente e leve ao fogo. Tempere com uma boa pitada de sal. Regue com um fio de azeite e deixe cozinhar, semitampado, de acordo com as instruções da embalagem.

FRUTAS COZIDAS Corte as ameixas ao meio e elimine o caroço. Coloque-as numa assadeira grande junto com 1 colher (chá) de baunilha e 2 colheres (sopa) bem cheias de açúcar cristal. Trabalhando sobre a assadeira, com um cortador de legumes tire rapidamente pedaços da casca de metade da laranja e esprema todo o suco. Acrescente o pau de canela quebrado ao meio e adicione uma boa dose de conhaque, se for usá-lo. Coloque a assadeira na grade inferior do forno. As frutas estarão prontas em 15 minutos.

MACARRÃO Rale o queijo *cheddar* no processador e coloque numa tigela. Instale o batedor de lâminas no processador. Tire a *pancetta* do forno e bata no processador junto com o pão, folhas de alecrim e uma boa porção de azeite até obter uma farofa grossa.

Coloque o escorredor sobre uma tigela grande para recolher a água do cozimento, depois despeje o macarrão e a couve-flor no escorredor. Coloque o macarrão e a couve-flor na assadeira onde estava a *pancetta* e leve ao fogo brando. Adicione 400 ml da água do cozimento reservada na tigela e os 2 dentes de alho descascados. Misture o *crème fraîche*

e o queijo ralado, quebrando os buquês de couve-flor com um pegador. Corrija o tempero, se for necessário. O macarrão deve ficar solto e bonito. Se ainda não tiver esse aspecto, acrescente mais um pouco da água do cozimento.

Espalhe a mistura uniformemente na assadeira e salpique a farofa por cima. Coloque a assadeira na grade superior do forno por cerca de 8 minutos ou até borbulhar e gratinar.

FRUTAS COZIDAS Se as ameixas estiverem macias e suculentas, tire a assadeira do forno e reserve. Se ainda parecerem meio duras, deixe assando por mais tempo.

SALADA Apare a base das endívias e corte as folhas com uma tesoura sobre a travessa. Separe rapidamente as folhas pequenas do manjericão e espalhe por cima. Leve uma frigideira pequena ao fogo de médio a brando.

Coloque as folhas maiores do manjericão no liquidificador. Esmague 1 dente de alho com casca e adicione, depois junte uma pitada de sal e pimenta, 15 g de anchovas com um pouco do seu óleo, 1 colher (chá) de mostarda, 2 colheres (sopa) de iogurte, 3 colheres (sopa) de vinagre e a mesma quantidade de azeite extravirgem. Acrescente um pouco de água e bata até obter uma pasta lisa.

Coloque um pouco de azeite e as alcaparras na frigideira quente. Frite por alguns minutos até ficarem crocantes. Prove o molho para ver se não está ácido demais e despeje numa jarra. Salpique as alcaparras sobre a endívia e leve à mesa com a jarra de molho. Você não vai usar todo o molho. Guarde uma parte na geladeira para outro dia.

PARA SERVIR Quando o macarrão estiver borbulhando e gratinado, leve-o à mesa e corte lascas de parmesão por cima. Se as frutas ainda estiverem no forno, retire a assadeira e reserve. Tire o sorvete do freezer para amolecer. Sirva as frutas em taças, intercaladas com o sorvete.

RIGATONI À TRAPANI

SALADA DE ENDÍVIAS ASSADAS

SALADA DE RÚCULA E PARMESÃO

TRIFLE DE LIMONCELLO

SERVE 6

CIABATTA

1 pão *ciabatta*
1 colher (chá) cheia de tomilho seco

MASSA

500 g de *rigatoni* seco
40 g de queijo parmesão
100 g de amêndoas sem pele
2 dentes de alho
1-2 pimentas vermelhas frescas
2 maços grandes de manjericão
4 filés de anchova em óleo
450 g de tomate-cereja, vermelho
e amarelo, se possível

SALADA DE ENDÍVIA

2 endívias vermelhas (ou *radicchio*)
2 endívias brancas
vinagre balsâmico
alguns ramos de alecrim fresco
½ dente de alho

SALADA DE RÚCULA

1 embalagem (100 g) de rúcula
pré-lavada
40 g de queijo parmesão
½ limão

TEMPEROS

azeite de oliva
azeite de oliva extravirgem
sal marinho e pimenta-do-reino

TRIFLE

3 laranjas
75 ml de licor *limoncello*
100 g de biscoito champanhe
250 g de mascarpone
2 colheres (sopa) cheias de açúcar
de confeiteiro, mais um pouco
para polvilhar
100 ml de leite semidesnatado
1 limão
1 colher (chá) de essência de
baunilha
1 caixinha de framboesa ou outra
fruta da estação
1 tablete (100 g) de chocolate amargo
(cerca de 70% de cacau) de boa
qualidade, para fazer lascas

PARA COMEÇAR Separe os ingredientes e utensílios que irá usar. Encha a chaleira de água e leve para ferver. Preaqueça o forno a 180°C. Coloque uns 5 cm de água numa panela grande e leve ao fogo médio. Coloque uma chapa em fogo alto. Instale o batedor de lâminas no processador.

CIABATTA Despeje azeite em fio sobre o pão e salpique o tomilho seco e uma boa pitada de sal. Leve ao forno.

TRIFLE Esprema o suco das 3 laranjas numa travessa. Adicione o licor e prove para verificar o equilíbrio entre o suco e o álcool e ajuste, se necessário. Cubra o fundo da travessa com os biscoitos. Numa tigela, coloque o mascarpone, o açúcar de confeiteiro e o leite. Rale finamente a casca de limão por cima e esprema o suco de metade do limão. Junte a baunilha e bata bem. Espalhe esse creme sobre os biscoitos, distribua as framboesas e rale um pouco de chocolate por cima. Leve à geladeira.

SALADA DE ENDÍVIA Limpe as endívias e corte-as ao meio no sentido do comprimento. Arranje-as na chapa com a parte cortada para baixo. Vire-as várias vezes até ficarem chamuscadas dos dois lados e retire do fogo.

MASSA Coloque o macarrão e a água fervente numa panela grande sobre fogo alto. Cozinhe de acordo com as instruções da embalagem, com a panela semitampada. Volte a encher a chaleira e ferver mais água para completar, se necessário.

SALADA DE RÚCULA Coloque a rúcula numa tigela. Com um descascador de legumes, faça lascas do parmesão. Numa jarra pequena, misture 3 colheres (sopa) de azeite extravirgem, o suco de ½ limão, sal e pimenta a gosto. Leve a salada e a jarra para a mesa.

MASSA Coloque o parmesão, 100 g de amêndoas, 2 dentes de alho descascados e 1 ou 2 pimentas vermelhas (sem o cabo) no processador de alimentos e bata até ficarem bem misturados. Com o processador ainda em funcionamento, acrescente 1½ maço de manjericão, os 4 filés de anchova e ⅔ do tomate-cereja. Bata até obter uma pasta, depois adicione 1 ou 2 borrifadas de azeite extravirgem. Experimente e adicione sal, se necessário. Corte os tomates restantes ao meio ou em quartos e reserve. A esta altura, o *rigatoni* deve estar perfeitamente cozido. Escorra, reservando um pouco da água do cozimento, e devolva o *rigatoni* à panela quente. Junte a pasta de tomate e a anchova, mexendo bem para recobrir toda a massa. Adicione um pouco da água do cozimento para deixá-la solta e sedosa.

SALADA DE ENDÍVIA Coloque as endívias assadas na tábua de cortar. Pique-as grosseiramente e depois tempere com vinagre balsâmico, azeite extravirgem, sal e pimenta. Separe as folhinhas do alecrim, pique-as muito bem e adicione à salada. Esprema ½ dente de alho descascado por cima. Misture tudo e leve à mesa.

CIABATTA Retire o pão do forno, coloque numa tábua e leve à mesa.

MASSA Passe o *rigatoni* para uma tigela grande, mexa rapidamente, depois espalhe por cima o tomate reservado e o manjericão restante e leve à mesa.

TRIFLE Depois do jantar, tire a sobremesa da geladeira. Peneire um pouco de açúcar de confeiteiro e sirva em seguida. Se acha que merece um prêmio, derreta o restante do chocolate no micro-ondas e despeje por cima.

MASSA COM GEMAS

SERVE 4

SALADA COM ERVAS
TORTINHAS DE PERA

MASSA

2 gemas
125 g de queijo parmesão, mais um
  pouco para servir
casca e suco de 2 limões
um maço pequeno de manjericão
500 g de lasanha fresca

SALADA

8 fatias de *pancetta*
1 dente de alho
1 colher (sopa) de erva-doce
1 pacote (100 g) de rúcula e/ou agrião
  pré-lavados

um maço pequeno de hortelã fresca
um maço pequeno de estragão
  fresco
um punhado grande de uvas
  variadas, sem sementes
2 colheres (sopa) de vinagre
  balsâmico
½ limão

TEMPERO

azeite de oliva
azeite de oliva extravirgem
sal marinho e pimenta-do-reino

TORTINHAS

4 bases de massa pré-assadas para
  tortinhas
4 colheres (sobremesa) de geleia de
  framboesa
1 lata (400 g) de pera em calda
opcional: 2 ramos de tomilho-limão
  fresco
2 claras
100 g de açúcar
1 colher (chá) de essência de
  baunilha
1 pote pequeno de sorvete de
  baunilha, para servir

PARA COMEÇAR Separe os ingredientes e utensílios que irá usar. Acenda o forno a 190°C. Encha uma panela grande com água fervente, coloque-a em fogo alto e tampe. Instale o disco de ralar fino no processador de alimentos.

TORTINHAS Arrume as bases de massa numa assadeira e coloque 1 colher (sobremesa) de geleia de framboesa em cada uma. Corte 4 metades de pera e divida entre as forminhas. Salpique o tomilho-limão por cima, se for usá-lo.

MASSA Separe cuidadosamente os 2 ovos, coloque as gemas em uma tigela bem grande de servir e as claras em uma tigela menor, para bater.

TORTINHAS Adicione às claras o açúcar e uma pitada de sal, ligue a batedeira na velocidade máxima e deixe batendo até obter um suspiro firme e brilhante.

MASSA Junte às gemas 3 colheres (sopa) de azeite e uma boa pitada de sal e pimenta. Rale o parmesão no processador e coloque-o na tigela das gemas, junto com a casca e o suco dos limões. Reserve algumas folhas pequenas do manjericão, depois divida o maço em 2 partes. Coloque metade num pilão e soque até obter uma pasta verde. Pique grosseiramente a outra metade. Passe as duas para a tigela com as gemas. Misture até tudo ficar bem combinado e tempere com sal e pimenta.

TORTINHAS A essa altura, as claras deverão estar brilhantes, lisas e firmes e é a hora de adicionar a baunilha. Com uma colher, coloque o suspiro sobre as tortinhas, formando picos delicados. Leve a assadeira ao forno, na prateleira do meio. Ajuste o timer para 6 minutos ou asse até ficarem lindamente douradas.

SALADA Coloque a *pancetta* numa frigideira sobre fogo médio e adicione o dente de alho esmagado com casca. Quando as fatias estiverem douradas, vire-as e acrescente as sementes de erva-doce. Enquanto isso, despeje a rúcula do pacote sobre uma travessa de servir ou tigela grande. Rasgue por cima algumas folhas de hortelã e estragão, depois acrescente um punhado grande de uvas inteiras ou cortadas ao meio. Quando a *pancetta* estiver frita e crocante, retire a frigideira do fogo. Mexa a salada e distribua por cima a *pancetta* crocante com a erva-doce.

Faça o molho. Despeje 4 colheres (sopa) de azeite extra-virgem e 2 colheres (sopa) de vinagre balsâmico em uma jarra pequena. Adicione uma pitada de sal e pimenta, junte o suco de ½ limão e leve à mesa para temperar a salada na hora.

MASSA Empilhe as folhas de lasanha numa tábua e corte-as em tiras finas, trabalhando em lotes. Coloque as tiras na panela com água fervente e junte uma boa pitada de sal. Mexa, deixe a tampa semiaberta e cozinhe em fogo alto por 1½ minuto.

TORTINHAS Verifique as tortinhas e retire-as do forno se estiverem prontas. Retire o sorvete do freezer para servi-lo com as tortinhas na sobremesa.

MASSA Esta massa tem de ser consumida logo após o preparo, por isso chame todos para a mesa imediatamente. Gosto de usar um pegador para mexer o macarrão com a mistura de gemas, porque a água do cozimento acrescentada é que realmente faz com que esse molho fique maravilhoso. Se você acha que é complicado, escorra a massa sobre um caldeirão para captar a água. Misture bem a massa e o molho, depois acrescente 2 ou 3 conchas da água, para o molho ficar mais sedoso. A massa fresca continua a absorver água, por isso deixe-a bem úmida e o prato estará perfeito ao ser levado à mesa. Experimente. É preciso adicionar mais queijo ralado ou sal? Ajuste o tempero, salpique as folhas de manjericão reservadas e rale mais um pouco de parmesão por cima. Leve à mesa, tempere rapidamente a salada e coma sem perda de tempo.

LASANHA VEG DE VERÃO

SERVE 6–8

SALADA DE TOMATE À TOSCANA
FROZEN IOGURTE DE MANGA NA CASQUINHA

LASANHA

um maço de cebolinha verde
½ lata (de 30 g) de anchovas em óleo
6 dentes de alho
700 g de aspargo
500 g de ervilha congelada
300 g de fava congelada
um maço grande de hortelã fresca
300 ml de creme de leite fresco
1 limão
300 ml de caldo de legumes orgânico
2 potes (250 g cada) de queijo *cottage*
2 embalagens (250 g cada) de folhas
  de lasanha fresca
queijo parmesão
ramos de tomilho fresco

SALADA TOSCANA

½ pão *ciabatta*
1 colher (chá) de sementes de
  erva-doce
ramos de orégano ou alecrim
1 colher (sopa) de alcaparra pequena
½ lata (de 30 g) de anchovas em óleo
um maço pequeno de manjericão
  fresco
6 pimentões vermelhos sem pele
1 dente de alho
4 ramas de tomate-cereja, vermelho
  e amarelo, se possível
3 tomates grandes
vinagre de vinho tinto
queijo parmesão, para servir

TEMPEROS

azeite de oliva
azeite de oliva extravirgem
sal marinho e pimenta-do-reino

SOBREMESA DE MANGA

500 g de pedaços de manga
2 colheres (sopa) de mel
1 limão
ramos de hortelã fresca
250 g de iogurte natural
6-8 cones de sorvete pequenos
chocolate amargo (cerca de 70% de
  cacau), para ralar

PARA SERVIR

uma garrafa de vinho branco gelado

PARA COMEÇAR Reúna todos os ingredientes e utensílios que vai usar. Encha uma chaleira com água até a metade e leve para ferver. Coloque uma frigideira grande em fogo alto. Ligue o grill no máximo. Instale o batedor de lâminas no processador de alimentos.

LASANHA Fatie finamente a cebolinha. Despeje metade do óleo da lata de anchovas na frigideira, adicione metade das anchovas, a cebolinha, esmague 6 dentes de alho com casca e misture bem. Apare o talo dos aspargos e corte em fatias finas, deixando as pontas inteiras. Reserve as pontas e coloque os caules fatiados na frigideira com uma pitada de sal e pimenta. Junte um pouco de água quente. Mexa constantemente para não grudar.

SALADA TOSCANA Rasgue rapidamente a *ciabatta* em pedaços de 2 cm. Espalhe numa assadeira, regue com um fio de azeite e misture a erva-doce, os ramos de orégano ou alecrim e uma pitada de sal. Mexa bastante para o pão ficar bem temperado, depois coloque embaixo do grill na prateleira do meio por cerca de 10 minutos ou até dourar.

LASANHA Adicione a ervilha e a fava à frigideira e mexa de vez em quando. Pique grosseiramente as folhas de hortelã e coloque na frigideira, junto com o creme de leite. Rale bem fino a casca de ½ limão.

SALADA TOSCANA Verifique os *croûtons*. Quando estiverem dourados e crocantes, passe para uma tigela e reserve.

LASANHA Esmague grosseiramente tudo o que está na frigideira, prove e retifique o tempero, se necessário. Cubra com o caldo e deixe ferver de novo. Adicione 1 pote de queijo *cottage* à mistura de vegetais, que deve ficar mole e cremosa. Coloque uma travessa refratária grande (aprox. 30 cm x 35 cm) em fogo médio. Com uma colher, espalhe ¼ do creme de vegetais no fundo da travessa. Cubra com folhas de lasanha e uma boa ralada de parmesão. Repita as camadas até o creme acabar, terminando com massa.

Dilua o segundo pote de queijo *cottage* com um pouco de água e espalhe-o sobre a lasanha. Refogue as pontas de aspargo na mesma frigideira, em um pouco de azeite. Despeje sobre a lasanha. Empurre tudo para baixo com as costas de uma colher e termine com folhas de tomilho, um fio de azeite extravirgem e uma generosa quantidade de queijo ralado. Aumente o fogo sob a travessa até começar a borbulhar. Coloque sob o grill na prateleira do meio por 8 minutos ou até ficar maravilhosamente dourada!

SALADA TOSCANA Em uma tábua de cortar bem grande, pique grosseiramente 1 colher (sopa) de alcaparras e misture com a metade restante das anchovas, a maior parte do manjericão e 4 dos pimentões sem pele. Esmague por cima um dente de alho com casca, adicione todos os tomates e misture vigorosamente. Passe tudo para uma tigela grande de servir e tempere com vinagre de vinho tinto, um bom fio de azeite extravirgem, sal e pimenta.

Adicione os *croûtons*, depois rasgue os 2 pimentões restantes. Esmague e aperte tudo junto com as mãos. Prove e acerte o tempero, se necessário, e acrescente mais vinagre, se quiser. Espalhe as folhas de manjericão reservadas, rale um pouco de parmesão por cima e leve à mesa.

SOBREMESA DE MANGA Bata os pedaços de manga no processador de alimentos com 2 colheres (sopa) de mel, o suco de 1 limão, um bom punhado de folhas de hortelã e 250 g de iogurte natural. Quando a mistura alisar, coloque no freezer até a hora de servir.

PARA SERVIR Quando a lasanha estiver gratinada e borbulhante, leve à mesa com o parmesão para ralar na hora. Sirva com uma garrafa de vinho branco gelado. Quando todos estiverem prontos para a sobremesa, retire o frozen iogurte do freezer, divida entre os copinhos de sorvete e rale um pouco de chocolate por cima, antes de devorá-lo.

ESPAGUETE
À PUTANESCA
SALADA CROCANTE
PÃO DE ALHO
GANACHE SEDOSO DE CHOCOLATE

SERVE 4–6

PÃO DE ALHO

1 pão *ciabatta*
um maço pequeno de salsa fresca
3-4 dentes de alho

SALADA

2 bulbos de erva-doce
um maço de rabanete
1 limão

TEMPEROS

azeite de oliva
azeite de oliva extravirgem
sal marinho e pimenta-do-reino

ESPAGUETE

500 g de espaguete seco
1 lata (225 g) de atum em óleo
2 dentes de alho
1 colher (sopa) de alcaparras
  escorridas
1 lata (30 g) de filés de anchova em
  óleo
1-2 pimentas vermelhas frescas
um maço pequeno de salsa fresca
8 azeitonas pretas, sem caroço
canela em pó
1 vidro (700 g) de passata ou 2 latas
  (400 g cada) de tomate pelado, picado
1 limão

GANACHE

2 barras (100 g cada) de chocolate
  amargo (cerca de 70% de cacau)
uma bolota grande de manteiga
300 ml de creme de leite fresco
3 tangerinas
12 palmiers ou outro biscoito fino,
  para acompanhar

PARA SERVIR

uma garrafa de Valpolicella gelado

PARA COMEÇAR Pegue todos os ingredientes e utensílios que irá usar. Encha a chaleira de água e leve para ferver. Ligue o forno a 180°C. Coloque uma frigideira grande e um caldeirão sobre fogo brando. Instale o ralador grosso no processador de alimentos.

PÃO DE ALHO Corte a *ciabatta* em fatias de 2 cm de espessura, sem chegar a separá-las. Pique finamente o maço de salsa. Amasse uma folha grande de papel-manteiga sob água corrente, depois alise. Salpique a salsa sobre a folha e adicione uma pitada de sal e pimenta. Acrescente uma dose generosa de azeite e 3-4 dentes de alho com casca. Espalhe essa mistura em todo o pão, empurrando-a para dentro dos cortes. Embrulhe muito bem com o papel-manteiga, leve ao forno e verifique com frequência.

GANACHE Despeje a água fervente na panela para cozinhar o espaguete e coloque uma tigela refratária grande por cima (não deixe a tigela tocar a água). Quebre as barras de chocolate ainda dentro da embalagem e desembrulhe sobre a tigela. Adicione a manteiga, o creme de leite e uma pitada de sal. Rale finamente a casca de 1 tangerina, acrescente ao chocolate e misture com cuidado. Deixe derreter.

ESPAGUETE Levante a tigela de chocolate e coloque o espaguete na água fervente. Acrescente uma pitada de sal e cozinhe de acordo com as instruções da embalagem. Volte a pôr a tigela em cima. Fique de olho – se a água parecer que vai borbulhar, diminua o fogo. Despeje o óleo do atum na frigideira quente, sem deixar o peixe cair. Esmague 2 dentes de alho com casca e refogue com as alcaparras e as anchovas e seu óleo. Pique muito bem as pimentas vermelhas e os talos da salsa e leve à frigideira. Verifique o cozimento do espaguete e mexa um pouco. Pique grosseiramente as folhas de salsa e reserve. Refogue por mais 2 minutos, sempre mexendo, e adicione as azeitonas pretas e o atum, desmanchando-o enquanto mistura. Adicione uma pitada de canela e a passata ou o tomate picado.

GANACHE Quando o chocolate estiver derretido, mexa bem e divida entre 6 xícaras (café). Corte ao meio as 2 tangerinas restantes. Arranje as xícaras numa bandeja e coloque ao lado as tangerinas e os palmiers. Leve à mesa.

SALADA Apare os bulbos de erva-doce e corte-os em quatro. Retire os talos dos rabanetes e coloque-os junto com a erva-doce no processador para ralar. Passe para uma tigela grande. Acrescente o suco de limão, adicione 2 borrifadas de azeite extravirgem, uma pitada de sal e pimenta e depois misture com as mãos. Prove, acerte o tempero, se for necessário, e leve a salada para a mesa.

ESPAGUETE Quando estiver cozido, escorra, reservando um pouco da água do cozimento. Com cuidado, despeje a massa na frigideira com o molho. Acrescente a maior parte da salsa picada, esprema o suco de 1 limão, regue com azeite extravirgem e misture muito bem. Se precisar soltar um pouco a massa, acrescente um pouco da água do cozimento. Passe para uma travessa, espalhe a salsa picada restante por cima e leve à mesa.

PARA SERVIR Retire o pão de alho do forno direto para a mesa e desembrulhe. Coloque o vinho tinto nas taças e mande todos se servirem à vontade.

PIZZA DO CHEAT

3 SALADAS DELICIOSAS

CREME DE MASCARPONE COM CEREJAS ESMAGADAS

SERVE 4

PIZZA

1½ caneca de farinha de trigo com
  fermento, mais um pouco para
  polvilhar
½ caneca de água morna

RECHEIO

1 lata (400 g) de tomate pelado
  picado
alguns poucos ramos de manjericão
  fresco
½ dente de alho
vinagre de vinho tinto
½ bola (de 125 g) de muçarela de búfala
queijo parmesão, para ralar
8 fatias de salame
1 colher (chá) de sementes de erva-doce
½ pimenta vermelha

SALADA DE RÚCULA

1 embalagem (100 g) de rúcula
  pré-lavada
½ limão

SALADA DE TOMATE

500 g de uma mistura de tomates de
  vários tipos, como cereja, italiano e
  caqui, de preferência de várias cores
½ pimenta vermelha
ramos de manjericão fresco
1-2 colheres (sopa) de vinagre balsâmico
½ dente de alho

SALADA DE MUÇARELA

1½ bola (de 125 g) de muçarela
  de búfala
¼ de vidro (cerca de 20 g) de pesto
  verde
ramos de manjericão fresco
1 limão

TEMPEROS

azeite de oliva
azeite de oliva extravirgem
sal marinho e pimenta-do-reino

SOBREMESA DE MASCARPONE COM CEREJA

2 bons punhados de gelo
300 g de cereja ou outra fruta da
  estação
125 g de mascarpone
50 ml de leite
1 colher (sopa) bem cheia de açúcar
  de confeiteiro
1 tangerina
1 colher (chá) de essência de baunilha
alguns palmiers ou outro biscoito
  fino, para servir

PARA COMEÇAR Reúna todos os ingredientes e utensílios que vai usar. Ligue o grill no máximo. Coloque sobre fogo brando uma frigideira grande (30-32 cm de diâmetro) que possa ir ao forno. Instale o batedor de lâminas no processador de alimentos.

SALADA DE TOMATE Esmague os tomates-cereja com as mãos em uma tigela. Fatie grosseiramente os outros tomates e coloque na tigela. Fatie bem fino a pimenta vermelha e acrescente, depois rasgue as folhas maiores do ramo de manjericão. Adicione 3 colheres (sopa) de azeite extravirgem, 1-2 colheres (sopa) de vinagre balsâmico e tempere com sal e pimenta. Rale ½ dente de alho descascado e distribua por cima as folhas menores do manjericão.

PIZZA Aumente a chama da frigideira e polvilhe uma superfície com farinha. Coloque 1½ caneca de farinha no processador e acrescente ½ caneca de água morna, uma pitada de sal e uma esguichada de azeite. Processe até a massa ficar lisa e passe-a para a superfície enfarinhada. Polvilhe a massa e o rolo com bastante farinha (a massa estará bem úmida, por isso não economize na farinha). Estenda a massa até formar um círculo com 1 cm de espessura. Despeje um pouco de azeite na frigideira e polvilhe novamente a massa com farinha. Com cuidado, levante um lado da massa para formar uma meia-lua, dobre esta metade ao meio e leve-a à frigideira. Desdobre a massa delicadamente, empurrando-a para as bordas. Se não tiver uma frigideira grande, divida a massa ao meio e faça duas pizzas.

RECHEIO Coloque no liquidificador ⅓ do tomate enlatado, o manjericão, ½ dente de alho descascado, uma esguichada de vinagre de vinho tinto, um pouco de azeite e

uma pitada de sal. Bata até a mistura alisar. Despeje no centro da pizza e espalhe. Rasgue ½ bola de muçarela em pedaços pequenos e distribua sobre o molho. Rale uma camada de parmesão e cubra com as fatias de salame. Gosto de esmagar a erva-doce no pilão e picar muito bem a pimenta antes de espalhar por cima. Coloque a frigideira sob o grill por 4-5 minutos, até a pizza ficar bem dourada.

SALADA DE MUÇARELA Rasgue 1½ bola de muçarela em pedaços e arrume numa travessa. Coloque um pouquinho de pesto sobre cada pedaço. Polvilhe sal e pimenta e espalhe por cima folhas de manjericão. Rale finamente a casca de limão sobre a salada e regue com um fio de azeite extravirgem. Leve à mesa.

SALADA DE RÚCULA Abra o pacote de rúcula e coloque dentro um fio de azeite extravirgem, o suco de ½ limão, sal e pimenta. Sacuda a embalagem para temperar a rúcula, passe-a para uma tigela e leve à mesa.

PIZZA Retire a pizza do grill, transfira-a para uma tábua de madeira e espalhe por cima as folhinhas de manjericão reservadas. Regue com um fio de azeite extravirgem e leve à mesa sem perda de tempo.

SOBREMESA DE MASCARPONE COM CEREJA Coloque um pouco de água fria numa tigela grande. Adicione o gelo e as cerejas. Coloque o mascarpone numa tigela às colheradas, junte o leite e o açúcar de confeiteiro e misture bem. Rale a casca da tangerina por cima. Acrescente a baunilha e volte a mexer. Divida o creme entre as tigelinhas, esmague as cerejas geladas e distribua sobre o creme, depois sirva com alguns biscoitos.

RISOTO CREMOSO DE COGUMELOS

SALADA DE ESPINAFRE

CHEESECAKE RÁPIDO DE LIMÃO E FRAMBOESA

SERVE 4

RISOTO

1 cebola grande
1 talo de salsão
15 g de cogumelos *porcini* secos
1 cubo de caldo de legumes ou frango
  orgânico
2 ramos de alecrim
300 g de arroz para risoto
½ taça de vinho branco
500 g de cogumelos variados, como
  chestnut, oyster e *shiitake*
1 dente de alho
um maço pequeno de tomilho fresco
uma bolota grande de manteiga
um pedaço (40 g) de queijo parmesão
½ limão
½ maço pequeno de salsa fresca

SALADA

100 g de pinólis
1 colher (sopa) de vinagre balsâmico
½ limão
200 g de espinafre pré-lavado
3 ramos grandes de hortelã
5 tomates secos
1 pepino médio

TEMPEROS

azeite de oliva
azeite de oliva extravirgem
sal e pimenta-do-reino

CHEESECAKE

50 g de manteiga
50 g de avelã sem pele
8 biscoitos de gengibre
1 limão
4 colheres (chá) de *lemon curd*
  (N. do T. – Creme tradicional inglês
  feito à base de limão, ovos, açúcar
  e manteiga.)
1 caixinha de framboesas (aprox. 150 g)
250 g de queijo cremoso light
  ou mascarpone
1 colher (chá) de essência de baunilha
uma borrifada de leite
1 colher (sopa) de açúcar de confeiteiro
chocolate amargo (cerca de 70% de
  cacau), para ralar

PARA COMEÇAR Separe os ingredientes e utensílios que vai usar. Encha a chaleira de água e leve para ferver. Coloque sobre fogo médio uma frigideira grande de borda alta. Ligue o grill no máximo. Coloque 4 copos no freezer. Instale o batedor de lâminas no processador de alimentos.

RISOTO Descasque a cebola, corte ao meio e coloque no processador. Junte o salsão e o *porcini* seco e pulse até ficarem bem picados. Coloque 2 esguichadas de azeite na frigideira quente, adicione os vegetais picados e mexa.

SALADA Coloque os pinólis numa frigideira grande, que possa ir ao forno. Leve ao fogo médio e toste, mexendo de vez em quando, até dourarem. Passe para uma tigela pequena e reserve.

RISOTO Pique muito bem as folhas do alecrim e coloque na frigideira. Acrescente o arroz e mexa por 1 minuto. Despeje o vinho branco, esfarele o cubo de caldo por cima e mexa até o vinho ser absorvido. Tempere com sal e pimenta, despeje uma caneca de água fervente e mexa bem. Sua tarefa agora é voltar ao risoto a cada minuto e acrescentar um pouco de água (ou caldo, se preferir – você vai precisar de 1 litro no total) por 16-18 minutos, enquanto cuida de outras coisas. Para que o risoto fique cremoso e bonito, mexa bastante para que o arroz não grude.

Pegue a frigideira grande que usou para torrar os pinólis e coloque em fogo alto. Lave os cogumelos dentro da embalagem, se parecerem sujos. Rasgue metade deles, junte ao arroz e coloque a outra metade na frigideira. Adicione 2 esguichadas de azeite extravirgem e uma pitada de sal e pimenta. Esmague um dente de alho com casca e jogue por cima. Adicione parte das folhas de tomilho à frigideira, mexa e retire do fogo. Acrescente as folhinhas restantes ao risoto.

CHEESECAKE Coloque a manteiga numa frigideira média sobre fogo alto. Embrulhe as avelãs e os biscoitos num pano de prato limpo e esmague com o rolo de massa. Desligue o fogo, acrescente à manteiga derretida as avelãs e os bis-

coitos esmagados e mexa bem. Rale por cima a casca do limão e mexa. Retire os copos do freezer e divida a mistura entre eles, apertando para obter uma camada firme.

RISOTO Coloque a frigideira com os cogumelos na prateleira superior do forno, sob o grill, para ficarem crocantes. Continue a mexer o risoto.

SALADA Numa saladeira grande e bonita, coloque 1 colher (sopa) de vinagre balsâmico, o suco de ½ limão, 3 colheres (sopa) de azeite extravirgem, sal e pimenta a gosto. Acrescente os pinólis tostados e misture. Pegue punhados de espinafre, pique grosseiramente junto com algumas folhas de hortelã e coloque na tigela. Pique grosseiramente os tomates secos e acrescente. Segure o pepino deitado com um garfo e corte-o em fatias diagonais de 1 cm de espessura. Coloque na tigela e leve à mesa sem misturar. Não mexa até o último minuto.

CHEESECAKE Coloque em cada copo 1 colher (chá) de *lemon curd* e algumas framboesas. Numa tigela, coloque o queijo cremoso, a baunilha e uma borrifada de leite e mexa. Adicione o açúcar de confeiteiro e outra borrifada de leite e misture muito bem até obter um creme macio e sedoso. Divida entre os copos, rale por cima um pouco do chocolate e reserve até a hora de servir.

RISOTO Se os cogumelos estiverem dourados e crocantes, retire-os e desligue o grill. O risoto deve estar parecido com um mingau de aveia. Adicione a manteiga, rale a maior parte do parmesão e junte suco de limão a gosto. Tempere com sal e pimenta e adicione uma borrifada de água ou caldo, se necessário, para ficar bem molhadinho. Pique a salsa e salpique metade sobre o risoto e metade sobre os cogumelos. Tampe o risoto e leve à mesa, acompanhado pelos cogumelos.

PARA SERVIR Divida o risoto entre os pratos e arrume os cogumelos crocantes sobre ele. Tempere a salada e mexa rapidamente. Termine com uma boa ralada de parmesão sobre o risoto e sirva.

TORTA FILO DE ESPINAFRE E QUEIJO FETA

SALADA DE PEPINO

SALADA DE TOMATE

SORVETE COM COBERTURA

SERVE 4–6

TORTA DE ESPINAFRE E FETA

100 g de pinólis
5 ovos
300 g de queijo *feta*
50 g de queijo *cheddar*
orégano seco
1 limão
uma bolota de manteiga
400 g de espinafre pré-lavado
1 embalagem (270 g) de massa filo
pimenta-de-caiena
1 noz-moscada, para ralar

SALADA DE PEPINO

1 pepino
10 azeitonas pretas
2 colheres (sopa) de vinagre balsâmico
3 cebolinhas verdes
½ limão
½ pimenta vermelha
5-6 ramos de hortelã fresca

SALADA DE TOMATE

um maço pequeno de manjericão
1 dente de alho
vinagre de vinho branco
300 g de tomate-cereja

TEMPEROS

azeite de oliva
azeite de oliva extravirgem
sal marinho e pimenta-do-reino

SORVETE COM COBERTURA

4 colheres (sopa) de grãos de café
   torrados
100 g de avelã
100 g de chocolate amargo (cerca de
   70% de cacau)
sorvete de baunilha

PARA COMEÇAR Reúna todos os ingredientes e utensílios que vai usar. Ligue o forno a 200°C. Leve ao fogo médio uma frigideira (aprox. 26 cm de diâmetro) que possa ir ao forno. Instale o batedor de lâminas no processador.

TORTA Coloque os pinólis na frigideira quente e seca para torrar, mexendo de vez em quando, mas fique de olho. Quebre os 5 ovos numa tigela, esfarele o queijo *feta* e acrescente. Rale 50 g do *cheddar* e adicione. Junte uma pitada de pimenta, algumas pitadas de orégano seco, casca ralada de 1 limão e um fio de azeite. Quando os pinólis estiverem dourados, adicione à tigela e mexa bem.

Coloque a frigideira, agora vazia, sobre fogo médio, adicione um pouco de azeite e uma bolota de manteiga, e junte metade do espinafre. Vá mexendo e acrescentando mais espinafre à medida que for murchando. Preste atenção para não deixar grudar no fundo.

Enquanto isso, retire a massa filo da geladeira. Estenda uma folha de papel-manteiga com cerca de 50 cm de comprimento na superfície de trabalho, espalhe um pouco de azeite para untá-la, depois amasse bem o papel e estenda de novo. Arranje 4 folhas de massa filo, uma sobre a outra, formando uma camada. Esfregue um pouco de azeite sobre essa camada. Polvilhe sal, pimenta e pimenta-de-caiena. Repita até obter 3 camadas. Não se preocupe se alguma borda quebrar. Lembre-se de continuar mexendo o espinafre.

Quando todo o espinafre estiver cozido, retire do fogo e acrescente à mistura de ovo e queijos. Rale ½ noz-moscada e misture. Com muito cuidado, transfira o papel-manteiga com a massa filo para a frigideira vazia, deixando a massa sobrar nas bordas e pressionando para moldar o fundo. Recheie com o creme de espinafre, espalhando-o de maneira uniforme. Dobre as folhas de massa filo sobre o recheio, em direção ao centro, deixando-as cair (🍲). Leve a frigideira ao fogo médio por alguns minutos para cozinhar o fundo e depois coloque na prateleira superior do forno para assar por 18-20 minutos, ou até ficar dourada e crocante.

SALADA DE PEPINO Passe um garfo pela casca do pepino no sentido do comprimento, por toda a volta. Corte ao meio, em quartos e depois em pedaços de 1 cm. Coloque numa tigela e reserve. Escorra 10 azeitonas pretas, aperte para tirar o caroço e rasgue-as em outra tigela. Despeje por cima 2 colheres (sopa) de vinagre balsâmico e pressione a azeitona para o vinagre começar a absorver o excesso de sal. Fatie as cebolinhas e misture com a azeitona.

Despeje 4 colheres (sopa) de azeite extravirgem e o suco de ½ limão sobre a mistura de azeitona e mexa muito, muito bem. Retire as sementes de ½ pimenta vermelha, corte em fatias muito finas e coloque na tigela do pepino. Pique muito bem as folhas de hortelã e adicione. Despeje o molho de azeitona sobre o pepino, mexa rapidamente, regue com mais um pouco de azeite extravirgem e leve à mesa.

TORTA Verifique como está a torta.

SORVETE Coloque os grãos de café no liquidificador e bata. Acrescente as avelãs e bata até obter um pó fino. Enquanto está batendo, quebre o chocolate, ainda na embalagem, contra a superfície de trabalho (é uma técnica que funciona melhor quando o chocolate está gelado). Desembrulhe e adicione ao liquidificador. Bata rapidamente, passe para uma tigela e reserve.

SALADA DE TOMATE Lave o liquidificador. Reserve algumas folhas pequenas de manjericão e coloque o restante no liquidificador com uma pitada de sal e pimenta, o dente de alho sem casca, uma boa dose de azeite extravirgem e uma borrifada de vinagre de vinho branco. Bata até obter um óleo verde-escuro. Prove, ajuste o tempero e despeje numa travessa. Corte os tomates ao meio ou em quartos e coloque sobre o molho. Espalhe por cima as folhinhas de manjericão reservadas e algumas pitadas de sal. Leve à mesa e mexa antes de servir.

PARA SERVIR Retire o sorvete do freezer para amolecer. Leve a torta à mesa junto com as lindas saladas e divida entre os comensais. Depois do jantar, sirva o sorvete acompanhado pela tigelinha de cobertura. Passe uma bola de sorvete na cobertura e coma imediatamente. Guarde a sobra de cobertura num recipiente hermeticamente fechado para usar em outra ocasião.

SOPA DE TOMATE

CROÛTONS REFORÇADOS

GUACAMOLE & VEGETAIS

GRUDE DE AMEIXA

SERVE 4

SOPA DE TOMATE & CROÛTONS

1 kg de tomate-cereja em rama
4 tomates grandes
1 pimenta vermelha
4 dentes de alho
1 pão *ciabatta*
2 cebolas roxas pequenas
4 colheres (sopa) de vinagre balsâmico
um maço pequeno de manjericão
  fresco
colheradas de *crème fraîche* (veja
  página 32), para servir

TEMPEROS

azeite de oliva
azeite de oliva extravirgem
sal marinho e pimenta-do-reino

TÁBUA DE GUACAMOLE

um punhado de tomate-cereja,
  se possível de cores variadas
1-2 pimentas vermelhas
um punhado de coentro fresco
2 abacates maduros
2 limões
½ bulbo de erva-doce
1 cenoura
½ pepino
½ pacote (de 125 g) de grissini

GRUDE DE AMEIXA

1 lata (290 g) de ameixa-preta,
  sem caroço, em calda
100 g de farinha de trigo
50 g de açúcar mascavo
50 g de manteiga sem sal à
  temperatura ambiente
1 colher (chá) bem cheia de gengibre
  em pó
½ colher (chá) de bicarbonato
  de sódio
1 ovo
75 ml de leite
glucose de milho, para servir
colheradas de *crème fraîche*,
  para servir

PARA COMEÇAR Reúna todos os ingredientes e utensílios que vai usar. Ligue o forno a 220°C e coloque uma frigideira grande em fogo brando. Instale o batedor de lâminas no processador de alimentos.

SOPA DE TOMATE Tire os tomates dos ramos, mas deixe alguns com os cabinhos. Corte os tomates grandes em quatro, depois coloque todos numa assadeira. Regue com bastante azeite e tempere com sal e pimenta. Corte ao meio a pimenta vermelha, elimine as sementes e acrescente. Esmague 4 dentes de alho descascados e junte. Misture tudo rapidamente e coloque na prateleira superior do forno. Asse por 12-15 minutos.

CROÛTONS Pegue outra assadeira e rasgue a *ciabatta* em 8 pedaços iguais. Regue com azeite, adicione uma pitada de sal e coloque na prateleira inferior do forno.

SOPA DE TOMATE Descasque as cebolas, pique grosseiramente e coloque na frigideira quente, com uma esguichada de azeite e uma pitada de sal. Aumente o fogo para médio e deixe amolecer, mexendo de vez em quando.

GRUDE DE AMEIXA Pegue 4 xícaras que caibam juntas no micro-ondas. Passe as ameixas para uma tigela e coloque 1 colher (sopa) da calda da ameixa em cada xícara. Divida as ameixas escorridas entre elas.

SOPA DE TOMATE Acrescente 4 colheres (sopa) de vinagre balsâmico à cebola e deixe cozinhar e reduzir, mexendo de vez em quando.

GRUDE DE AMEIXA Coloque no processador a farinha, o açúcar mascavo, a manteiga, o gengibre em pó e o bicarbonato e bata. Quebre o ovo e adicione, junto com o leite. Bata até ficar liso (desligue de vez em quando para raspar as bordas). Divida entre as xícaras (elas devem ficar preenchidas até ⅔ da capacidade) e reserve.

GUACAMOLE Esmague um punhado de tomate-cereja na maior tábua que você tiver. Pique finamente a polpa do tomate, 1-2 pimentas vermelhas e um punhado de folhas de coentro.

SOPA DE TOMATE Tire do forno a assadeira com o tomate e adicione todo o conteúdo da panela da cebola.

CROÛTONS Dê uma olhada – se estiverem dourados e crocantes, desligue o forno, mas não tire a assadeira, para mantê-los aquecidos.

GUACAMOLE Corte os abacates ao meio e tire o caroço. Sobre o tomate na tábua de cortar, aperte-os para soltar a polpa da casca. Adicione uma pitada de sal, esprema por cima dois limões e misture. Prove e, se necessário, ajuste o sal. Empurre o guacamole para um lado da tábua e corte ½ bulbo de erva-doce em quartos. Descasque a cenoura, corte em quartos no sentido do comprimento e depois em palitinhos. Faça o mesmo com o pepino. Polvilhe um pouco de sal, depois arranje os vegetais ao lado do guacamole. Coloque os grissini em um copo e leve-os à mesa junto com a tábua de guacamole.

SOPA DE TOMATE Trabalhando em dois lotes, bata no liquidificador o conteúdo da assadeira. Acrescente a maior parte do manjericão, bata até obter uma consistência rústica e despeje em uma tigela. Terminando de bater, tempere a sopa a gosto e misture bem. Coloque por cima colheradas de *crème fraîche* e algumas folhas de manjericão e despeje um fio de azeite extravirgem. Leve à mesa com as tigelinhas de servir e a assadeira com os *croûtons*.

GRUDE DE AMEIXA Pouco antes de servir, leve as forminhas ao micro-ondas e cozinhe em potência alta por 6 minutos.

PARA SERVIR Coloque um ou dois *croûtons* no fundo de cada tigelinha e despeje uma concha de sopa por cima. Os próprios comensais se servem do guacamole. Quando a sobremesa estiver pronta, leve à mesa, adicione um pouco de glucose de milho, vire a parte de baixo para cima com uma colher, coloque um pouco de *crème fraîche* e deliciem-se com essa gostosura.

CURRY
ROGAN JOSH

ARROZ SOLTINHO

SALADA DE CENOURA

CHAPATIS

SERVE 4–6

CURRY

2 cebolas
1 abóbora-menina média
1 couve-flor pequena
opcional: 1 pimenta vermelha fresca
4 dentes de alho
um maço de coentro fresco
½ vidro (de 283 g) de pasta de curry
rogan josh
1 lata (400 g) de grão-de-bico
100 g de espinafre pré-lavado
1 pote (500 g) de iogurte natural

TEMPEROS

azeite de oliva
azeite de oliva extravirgem
sal marinho e pimenta-do-reino

ARROZ

1 caneca de arroz basmati
alguns cravos-da-índia

SALADA DE CENOURA

um punhado de amêndoa em flocos
5-6 cenouras
1 pimenta vermelha fresca
um maço de coentro fresco
um pedaço de 2 cm de gengibre fresco
1 limão

CHAPATIS

1 pacote de *chapatis* (N. do T. – Pão
chato indiano.)
cúrcuma, para polvilhar

PICLES DE LIMÃO

1 limão
2 colheres (chá) de sementes de
mostarda
1 colher (chá) rasa de cúrcuma
¼ de pimenta vermelha fresca
1 pimenta vermelha pequena seca

PARA SERVIR

1 pacote de *poppadoms* (N. do T. –
Pão indiano crocante aromatizado
com especiarias.)
cerveja gelada

PARA COMEÇAR Separe todos os ingredientes e utensílios que vai usar. Encha a chaleira de água e leve para ferver. Coloque uma frigideira grande em fogo alto. Ligue o forno a 180°C. Instale o disco de ralar grosso no processador de alimentos.

CURRY Fatie as cebolas e coloque na frigideira quente com um pouco de água e umas boas esguichadas de azeite. Corte a abóbora ao meio na horizontal (só vou usar o pescoço), embrulhe a parte de baixo em filme plástico e guarde na geladeira para outro uso. Corte o pescoço em quatro na vertical e depois em fatias de 1 cm – não é preciso descascar (🖰). Coloque na frigideira. Separe os buquês da couve-flor e leve à frigideira. Se quiser um prato mais picante, fatie a pimenta vermelha e acrescente. Esmague os dentes de alho com casca e adicione. Reserve algumas folhas de coentro para decorar, pique bem o restante (com talos e tudo) e espalhe na frigideira, com mais um pouco de água fervente. Acrescente a pasta de curry *rogan josh* e o grão-de-bico com a água da conserva. Tempere com sal e pimenta, mexa bem e tampe. Cozinhe em fogo alto, mexendo de vez em quando.

ARROZ Coloque o arroz numa panela com um pouco de azeite, alguns cravos-da-índia e uma pitada de sal. Cubra com 2 canecas de água fervente (use a mesma caneca com que mediu o arroz). Tampe e ferva em fogo médio por 7 minutos. Encha a chaleira novamente e leve para ferver.

CHAPATIS Amasse uma grande folha de papel-manteiga sob água corrente. Estenda o papel e arrume os *chapatis* sobre ele, regue com um fio de azeite e polvilhe um pouco de cúrcuma. Embrulhe e leve ao forno na prateleira do meio.

SALADA DE CENOURA Torre a amêndoa numa panela sobre fogo médio, mexendo de vez em quando, até dourar. Passe para uma tigelinha. Lave e descasque as cenouras. Rale no processador, junto com a pimenta vermelha (sem

talo e sem sementes), ⅓ do maço de coentro e o gengibre descascado. Coloque em uma tigela de servir.

CURRY Dê uma olhada e acrescente um pouco mais de água fervente, se parecer seco. Mexa e volte a tampar.

ARROZ Os 7 minutos já devem ter passado. Tire a panela do fogo e deixe-a descansar, tampada, por mais 7 minutos. O cozimento continuará no vapor e o arroz ficará soltinho.

SALADA DE CENOURA Dê uma esguichada de azeite extravirgem sobre a salada e adicione uma pitada de sal. Rale bem fino um pouco de casca de limão, depois acrescente uma boa quantidade do suco. Mexa bem. Salpique por cima as amêndoas torradas e metade das folhas de coentro reservadas e leve à mesa.

CURRY Tire a tampa. Se achar que está meio seco, acrescente um pouco de água fervente. Você pode também esmagar alguns vegetais para obter diferentes texturas. Prove e adicione sal, se necessário, depois junte o espinafre e mexa bem.

PICLES DE LIMÃO Corte o limão em oito gomos, elimine as sementes e fatie finamente. Fatie bem fino o pedaço de pimenta vermelha. Leve a panela em que torrou as amêndoas ao fogo médio-alto. Coloque um fio de azeite e as sementes de mostarda, a cúrcuma e a pimenta fatiada. Esmigalhe a pimenta seca por cima. Quando tudo começar a chiar, adicione o limão e uma pitada de sal, conte até dez, depois tire do fogo e passe para uma tigela para esfriar.

PARA SERVIR Coloque metade do iogurte numa tigela pequena. Regue com azeite extravirgem e leve à mesa junto com os *poppadoms* e o picles de limão. Tire os *chapatis* do forno e leve-os à mesa. Transfira o arroz e o curry para tigelas grandes. Adicione ao curry algumas colheradas do iogurte restante, salpique com folhas de coentro e leve as duas tigelas à mesa. Abram as cervejas e curtam!

CURRY VERDE

FRANGO CROCANTE

SALADA KIMCHI

NOODLES DE ARROZ

SERVE 4

FRANGO

8 sobrecoxas de frango, com ossos e pele
2 colheres (sopa) de sementes de gergelim
2 colheres (sopa) de mel

SALADA KIMCHI

um maço pequeno de rabanete
1 cebola roxa
½ repolho-chinês
um maço pequeno de coentro
1 pimenta vermelha fresca
1 pimenta-verde fresca
um pedaço de 2 cm de gengibre fresco
2 limões
óleo de gergelim

MOLHO CURRY

um pedaço de 2 cm de gengibre fresco
2 pimentas vermelhas frescas
opcional: algumas folhas de limão *kaffir*
um maço de coentro fresco
4 dentes de alho
1 talo de capim-cidreira
um maço pequeno de cebolinha verde
óleo de gergelim
300 ml de caldo de galinha orgânico
200 g de vagem macarrão
400 ml de leite de coco
suco de limão
molho de soja (shoyu)

MASSA

250 g de *noodles* de arroz
1 limão

TEMPEROS

azeite de oliva
sal marinho e pimenta-do-reino

GUARNIÇÕES

biscoitos sabor camarão
molho de pimenta
1 limão
½ pé de alface-romana
½ embalagem de brotos de feijão
alguns ramos de coentro fresco

PARA COMEÇAR Separe todos os ingredientes e utensílios que vai usar. Coloque uma frigideira grande e uma menor em fogo alto. Instale o disco de fatiar no processador de alimentos.

FRANGO Coloque as sobrecoxas na frigideira grande, com a pele para baixo. Regue com um fio de azeite, tempere com sal e pimenta e frite, virando a cada minuto, mais ou menos, por 18-20 minutos ou até ficarem totalmente cozidas.

SALADA KIMCHI Lave bem os rabanetes. Descasque a cebola e corte ao meio. Pique os rabanetes, a cebola e o repolho-chinês no processador e passe para uma tigela de servir. Coloque no processador o maço de coentro e as pimentas (sem o talo) e volte a bater. Descasque e esmague o pedaço de gengibre e junte tudo à tigela.

FRANGO Cubra o frango frito com um pedaço de papel-manteiga, acomode a frigideira menor por cima e coloque um peso sobre ela, para apertar. O calor cozinhará o frango dos dois lados e o deixará bem crocante.

MOLHO CURRY Descasque o gengibre e coloque no processador com o disco de fatiar. Junte as pimentas (sem o talo), as folhas de limão *kaffir* (se for usá-las) e a maior parte do coentro. Esmague 4 dentes de alho com casca. Apare a folha de capim-cidreira e amasse o talo, pique a cebolinha verde e coloque tudo no processador. Bata até obter uma pasta, adicionando óleo de gergelim e azeite.

FRANGO Tire a frigideira de cima, leve-a ao fogo médio e descarte o papel. Escorra cuidadosamente a gordura do frango e vire os pedaços com a pele para cima. Coloque 2 colheres (sopa) de sementes de gergelim na frigideira vazia e deixe torrar até dourarem, mexendo de vez em quando, depois passe para uma tigelinha e tire a frigideira do fogo.

SALADA KIMCHI Lave as mãos. Acrescente à salada o suco dos 2 limões, uma pitada de sal e uma borrifada de óleo de gergelim. Misture e aperte com as mãos, sem dó. Coloque uma panela grande sobre fogo médio.

FRANGO Escorra novamente a gordura, limpe a frigideira com toalhas de papel e diminua o fogo. Acrescente 2 colheres (sopa) do molho curry do processador, vire e revire os pedaços de frango para recobri-los bem e continue cozinhando. Encha a chaleira de água e leve para ferver.

MOLHO CURRY Coloque o molho curry restante na panela quente e acrescente o caldo de galinha. Apare as vagens e adicione. Aumente o fogo. Agite o leite de coco e misture. Espere ferver, desligue o fogo e deixe descansar.

MASSA Coloque o macarrão na frigideira vazia com uma pitada de sal e cubra com água fervente. Espere alguns minutos e, assim que ele estiver suficientemente macio, escorra, enxágue em água fria e devolva à frigideira. Regue com um fio de óleo de gergelim e uma boa quantidade de suco de limão. Adicione uma pitada de sal e mexa.

FRANGO Verifique se o frango está bem cozido, junte 2 colheres (sopa) de mel e volte a virar com a pele para baixo.

GUARNIÇÕES Empilhe biscoitos de camarão numa tábua e coloque ao lado o molho de pimenta. Corte o limão em quartos e arrume na tábua. Corte a base das folhas de alface, lave e seque na centrífuga. Coloque em uma tigela e junte os brotos de feijão e o coentro. Leve à mesa.

MOLHO CURRY Prove e acerte o sabor com suco de limão e molho de soja, cozinhe por mais alguns minutos se desejar um creme encorpado e leve à mesa sem perda de tempo.

PARA SERVIR Divida o macarrão entre 4 tigelas. Passe o frango para uma travessa e leve à mesa, com a tigelinha de sementes de gergelim torradas. Peça para todos se servirem do frango, das guarnições, salada kimchi e molho curry, espalhando por cima uma pitada das sementes.

TORTA DE FRANGO

ERVILHAS À FRANCESA

PURÊ DE CENOURA

FRUTAS VERMELHAS, BISCOITOS & CHANTILLY

SERVE 6

TORTA DE FRANGO

4 filés de frango (180 g cada),
 sem pele
uma bolota de manteiga
um maço de cebolinha verde
150 g de cogumelo-de-paris
1 colher (sopa) bem cheia de farinha
 de trigo, mais um pouco para
 polvilhar
2 colheres (chá) de mostarda inglesa
1 colher (sopa) bem cheia de
 crème fraîche (veja página 32)
300 ml de caldo de galinha orgânico
alguns ramos de tomilho fresco
⅓ de noz-moscada, para ralar
1 folha de massa folhada laminada,
 descongelada
1 ovo

PURÊ

600 g de cenoura
alguns ramos de tomilho fresco

ERVILHAS

2 pés de minialface-romana
uma bolota de manteiga
1 colher (sopa) de farinha de trigo
300 ml de caldo de galinha orgânico
alguns ramos de hortelã fresca
480 g de ervilhas congeladas
½ limão

TEMPEROS

azeite de oliva
azeite de oliva extravirgem
sal marinho e pimenta-do-reino

FRUTAS VERMELHAS & CHANTILLY

400 g de frutas vermelhas, como
 amoras, framboesas e morangos
cordial de flor de sabugueiro (N. do
 T. – Procure nas lojas de bebidas
 importadas por *elderflower cordial*)
½ limão
2 ramos de hortelã fresca
alguns biscoitos amanteigados,
 para servir
150 ml de creme de leite fresco
1 colher (sopa) bem cheia de açúcar
 de confeiteiro
1 colher (sopa) de essência de
 baunilha

PARA COMEÇAR Reúna todos os ingredientes e utensílios que irá usar. Acenda o forno a 200°C. Encha uma chaleira com água e leve para ferver. Coloque uma panela grande com tampa sobre fogo baixo e uma panela maior sobre fogo médio. Instale o disco de fatiar grosso no processador.

TORTA DE FRANGO Sobre uma tábua de plástico, corte os filés de frango em tirinhas de 1 cm. Coloque uma esguichada de azeite e uma bolota de manteiga na panela maior, agora bem quente. Acrescente as tirinhas de frango e frite por cerca de 3 minutos. Enquanto isso, corte rapidamente a cebolinha verde, lave os cogumelos e pique os dois juntos no processador. Passe para a panela, acrescente 1 colher (sopa) bem cheia de farinha e mexa. Adicione 2 colheres (chá) de mostarda, 1 colher (sopa) bem cheia de *crème fraîche*, 300 ml de caldo de galinha e misture bem. Retire as folhinhas de tomilho do talo e adicione. Tempere com uma pequena quantidade de noz-moscada ralada e uma boa pitada de sal e pimenta. Deixe cozinhando.

PURÊ Tire a casca das cenouras e fatie no processador. Coloque na panela grande com uma esguichada de azeite extravirgem, uma pitada de sal e pimenta, e algumas pontinhas do tomilho. Cubra com água fervente, tampe e aumente o fogo para alto. Cozinhe por 15 minutos ou até a cenoura ficar macia.

TORTA DE FRANGO Polvilhe levemente uma superfície de trabalho com farinha e desenrole a folha de massa. Com uma faquinha, faça cortes rasos em xadrez. Retire do fogo a panela com o frango. Passe esse recheio para um recipiente refratário um pouco menor do que a folha de massa (aprox. 30 cm x 20 cm). Cubra o recheio com a massa, dobrando as bordas para dentro. Bata rapidamente o ovo e pincele a superfície da torta. Leve ao forno na prateleira superior e asse por cerca de 15 minutos, ou até ficar dourada e gloriosa. Encha novamente a chaleira com água e leve para ferver.

ERVILHAS Volte a pôr a panela do frango em fogo alto. Lave rapidamente as folhas de alface e fatie no processador. Coloque na panela uma bolota de manteiga e 1 colher (sopa) de farinha, despeje 300 ml de caldo de galinha, rasgue e junte as folhas de hortelã e use um batedor de arame para obter um creme liso e borbulhante. Acrescente as ervilhas e a alface fatiada. Esprema ½ limão por cima, despeje um pouco de água fervente, tempere com sal e pimenta, mexa e tampe.

FRUTAS VERMELHAS & CHANTILLY Se estiver usando morangos, corte os maiores ao meio. Coloque todas as frutas numa travessa grande. Adicione um gole de cordial de flor de sabugueiro e o suco de ½ limão. Mexa bem para recobrir as frutas, depois pegue algumas folhas de hortelã e rasgue por cima. Leve à mesa junto com os biscoitos. Faça o creme chantilly batendo juntos na batedeira o creme de leite fresco, o açúcar de confeiteiro e a baunilha até engrossar. Coloque na mesa ao lado das frutas.

PURÊ Verifique se a cenoura está bem cozida, escorra e devolva à panela. Prove, corrija o tempero, se necessário, e esmague ou deixe como está. Leve à mesa.

PARA SERVIR Leve as ervilhas à mesa, tire a torta do forno, sirva imediatamente e... bom apetite!

FRANGO COM MOSTARDA

SERVE 4 – 6

DAUPHINOISE RÁPIDA
SALADA VERDE
AFFOGATO FLORESTA NEGRA

DAUPHINOISE

1 cebola roxa
1 kg de batata
1 noz-moscada
2 dentes de alho
300 ml de creme de leite fresco
4 anchovas em óleo
queijo parmesão
2 folhas de louro
um maço bem pequeno de tomilho

TEMPEROS

azeite de oliva
azeite de oliva extravirgem
sal marinho e pimenta-do-reino

FRANGO

alguns ramos de alecrim fresco
4 filés de frango (180 g cada)
  com pele
4 colheres (chá) de mostarda em pó
1 alho-poró
4 dentes de alho
vinho branco
75 ml de creme de leite fresco (tirado
  da receita da dauphinoise)
1 colher (chá) bem cheia de mostarda
  com sementes

SALADA VERDE

200 g de acelga (ou outra verdura)
1 embalagem (200 g) de espinafre
  pré-lavado
1 limão

AFFOGATO

1 colher (sopa) de café instantâneo
  (ou 4-6 doses de café espresso)
3 colheres (chá) de açúcar
4-6 biscoitos amanteigados
1 lata (425 g) de cereja-preta em
  calda
100 g de chocolate amargo (cerca de
  70% de cacau) de boa qualidade
500 ml de sorvete de baunilha

PARA COMEÇAR Reúna todos os ingredientes e utensílios que irá usar. Coloque em fogo brando uma panela média e uma frigideira grande que possa ir ao forno. Instale o disco de fatiar grosso no processador de alimentos. Acenda o forno a 220°C. Encha a chaleira de água e leve para ferver.

DAUPHINOISE Descasque a cebola e corte-a ao meio. Lave as batatas, deixe a casca e fatie no processador junto com a cebola. Coloque numa assadeira grande e grossa (aprox. 35 cm x 25 cm) e tempere. Rale por cima ¼ da noz-moscada, esmague 2 dentes de alho com casca e despeje 225 ml do creme de leite. Esfarele as anchovas e adicione. Rale bastante parmesão. Junte o louro, algumas folhas de tomilho e uma boa quantidade de azeite. Mexa com as mãos para combinar tudo e em seguida coloque a assadeira em fogo médio. Adicione 200 ml de água fervente, cubra bem apertado com papel-alumínio e deixe no fogo.

FRANGO Aumente o fogo sob a frigideira para médio. Pique bem as folhas de alecrim e espalhe sobre o frango. Depois, polvilhe 1 colher (chá) de mostarda em pó em cada filé, tempere com sal e pimenta e despeje um fio de azeite sobre o frango e na frigideira. Esfregue bem esses temperos em cada filé. Coloque na frigideira, com a pele para baixo. Com uma faca, aperte o frango na frigideira para ajudar no cozimento. Deve levar cerca de 18 minutos no total.

DAUPHINOISE Sacuda a assadeira para não grudar.

SALADA VERDE Fatie os talos da acelga para cozinharem depressa. Lave as folhas. Coloque os talos na panela, cubra com água fervente, adicione uma pitada de sal e tampe.

DAUPHINOISE Remova o papel-alumínio. Rale por cima uma camada de parmesão. Regue com um fio de azeite os ramos de tomilho restantes e espalhe por cima da batata. Leve ao forno na prateleira superior e asse por 15 minutos ou até dourar e borbulhar.

FRANGO Limpe rapidamente o alho-poró e corte ao meio pelo comprimento. Lave bem, depois fatie e acomode em um dos lados da frigideira com o frango.

SALADA VERDE Junte as folhas da acelga à panela. Se necessário, acrescente mais água fervente.

FRANGO Esmague os 4 dentes de alho com casca e acrescente. Vire os filés com a pele para cima e aperte de novo. Misture o alho-poró com o frango e regue com um pouco de vinho branco.

SALADA VERDE Coloque o espinafre em um escorredor e despeje por cima a acelga cozida e a água fervente. Dê uma esguichada de azeite na panela vazia, esprema o suco de 1 limão, depois devolva as verduras escorridas à panela e use um pegador grande para misturar. Tempere a gosto e leve à mesa.

FRANGO Se o frango já estiver bem cozido, despeje 75 ml de creme de leite na frigideira. Cubra com uma folha de papel-alumínio. Dê uma olhada na dauphinoise.

AFFOGATO Coloque numa jarra pequena 1 colher (sopa) de café instantâneo e 3 colheres (chá) de açúcar. Leve meia chaleira de água ao fogo. Esfarele os biscoitos no fundo de 4 xícaras de espresso. Escorra as cerejas e divida entre as xícaras. Quebre o chocolate e distribua alguns pedaços em cada xícara. Leve as xícaras à mesa.

FRANGO Desligue o forno onde está a dauphinoise. Transfira os filés de frango para uma tábua e corte em fatias desiguais. Adicione ao molho 1 colher (chá) de mostarda com sementes. Com uma colher, passe o molho para uma travessa e arrume por cima as fatias de frango. Regue com um fio de azeite extravirgem e leve à mesa.

DAUPHINOISE Retire do forno e leve à mesa. Tire o sorvete do freezer para amolecer.

PARA SERVIR Depois do jantar, coloque um pouco de água fervente na jarrinha de café e açúcar e leve à mesa, junto com o sorvete. Distribua uma bola em cada xícara e rale um pouco de chocolate por cima. Em seguida, despeje café quente (ou espresso) suficiente para começar a derreter o chocolate. Delicioso!

FRANGO NA TRAVESSA

BATATAS ESMAGADAS

CREME DE ESPINAFRE

REFRESCO DE MORANGO

SERVE 4

BATATAS

700 g de batata pequena ou nova
alguns ramos de alecrim
2 folhas de louro
6 dentes de alho

ESPINAFRE

um maço de cebolinha verde
3 dentes de alho
alguns ramos de tomilho fresco
1 noz-moscada, para ralar
uma bolota grande de manteiga
400 g de espinafre pré-lavado
100 ml de creme de leite
25 g de queijo parmesão

FRANGO

orégano seco
páprica doce
uma bolota de manteiga
4 filés de frango (180 g cada)
  sem pele
1 limão
300 g de tomate-cereja em rama
4 fatias de bacon
2 ramos de alecrim

TEMPEROS

azeite de oliva
azeite de oliva extravirgem
sal marinho e pimenta-do-reino

REFRESCO

400 g de morango
alguns raminhos de hortelã
½ limão
cubos de gelo
açúcar a gosto

PARA COMEÇAR Separe todos os ingredientes e utensílios que irá usar. Encha a chaleira de água e leve para ferver. Coloque uma panela média em fogo médio, uma frigideira grande em fogo brando e uma panela grande e rasa em fogo médio. Esquente o grill no máximo.

BATATAS Lave as batatas, corte ao meio no sentido do comprimento (ou deixe inteiras se forem novas) e coloque na panela média com uma pitada de sal. Cubra com água fervente, tampe e deixe cozinhar por 12-14 minutos, ou até ficarem macias.

ESPINAFRE Limpe e pique finamente a cebolinha verde. Coloque na panela grande e rasa com uma esguichada de azeite. Esmague por cima 3 dentes de alho com casca e adicione um pouco de água fervente. Acrescente as folhinhas de tomilho, rale ¼ da noz-moscada e junte a bolota grande de manteiga. Mexa bem e deixe refogar por 3 minutos, mexendo de vez em quando.

FRANGO Aumente o fogo da frigideira para alto. Pegue uma folha de papel-manteiga e polvilhe sobre ela uma boa pitada de orégano seco, sal, pimenta e páprica, depois junte um fio de azeite. Coloque azeite também na frigideira e depois a manteiga. Estenda os filés de frango sobre o papel e role sobre os condimentos. Leve à frigideira quente e frite por 4-5 minutos, ou até ficarem dourados dos dois lados. Enquanto fritam, descarte o papel e lave as mãos.

ESPINAFRE Coloque o espinafre na panela da cebolinha e espere murchar. Talvez seja preciso trabalhar em lotes porque é muito volumoso, mas ele murcha rapidamente. Fique mexendo para não grudar.

FRANGO Pegue uma travessa refratária bonita, corte o limão em quartos e jogue na travessa. Acrescente os tomates em rama, o frango e o líquido da frigideira. Use um pegador para arranjar tudo direitinho e coloque as fatias de bacon sobre os filés. Leve a frigideira novamente ao fogo médio, adicione os 2 ramos de alecrim e esfregue-os para ficarem úmidos. Passe-os para a travessa e coloque sob o grill por 14 minutos, no mínimo.

BATATAS Verifique se as batatas estão bem cozidas, escorra e deixe descansar por 1-2 minutos. Coloque na frigideira vazia algumas esguichadas de azeite, as folhas de alecrim e de louro. Distribua as batatas sobre as ervas em uma só camada, regue com mais azeite e polvilhe sal. Esmague por cima 6 dentes de alho com casca e aumente o fogo para alto. Pegue uma tampa chata de panela de tamanho menor e aperte as batatas com toda a força, até estourarem. Deixe dourar por 3 minutos, mexa e esmague-as novamente.

ESPINAFRE Mexa para ajudar a murchar. Acrescente o creme de leite. Diminua bem o fogo. Rale o parmesão por cima e misture.

BATATAS Fique de olho, esmagando e virando as batatas até ficarem bem douradas.

REFRESCO Tire o pedúnculo dos morangos e coloque-os no liquidificador com alguns cubos de gelo, folhas de hortelã e o suco de ½ limão. Adicione água para cobrir e bata. Enquanto isso, encha uma jarra grande com gelo. Prove e adoce, se necessário. Passe para a jarra e mexa com uma colher de pau. Leve à mesa.

BATATAS Verifique e esmague de novo.

PARA SERVIR Tire a travessa com o frango do grill. Verifique se está bem cozido e leve diretamente à mesa, junto com a panela de espinafre. Passe as batatas para uma travessa, leve à mesa e devore!

FRANGO COM MOLHO JERK

ARROZ & FEIJÃO

SALADA REFRESCANTE

MILHO GRELHADO

SERVE 4

FRANGO

4 filés de frango (180 g cada)
   com pele
1 colher (sopa) de mel
alguns ramos de alecrim fresco
algumas folhas de coentro fresco

MILHO

4 espigas de milho grandes

ARROZ & FEIJÃO

2 cebolinhas verdes
1 pau de canela
250 g de arroz agulhinha
600 ml de caldo de galinha orgânico
400 g de feijão-preto cozido
   (compre pronto)

MOLHO JERK

4 cebolinhas verdes
um maço pequeno de tomilho fresco
3 folhas de louro
cravo-da-índia em pó
noz-moscada em pó
pimenta-de-caiena em pó
6 colheres (sopa) de rum dourado
6 colheres (sopa) de vinagre de vinho
   branco
1 colher (sopa) de mel
1 pimenta cambuci
4 dentes de alho

TEMPEROS

azeite de oliva
azeite de oliva extravirgem
sal marinho e pimenta-do-reino

SALADA

1 pimentão vermelho
1 *radicchio*
1 pé de alface-romana
2 limões
¼ de cebola roxa
um maço pequeno de coentro fresco
1 embalagem de miniagrião

IOGURTE

250 g de iogurte natural
alguns ramos de coentro fresco
1 limão

PARA SERVIR

cerveja gelada

PARA COMEÇAR Pegue todos os ingredientes e utensílios que irá usar. Encha a chaleira de água e leve para ferver. Coloque em fogo alto uma chapa de ferro e uma panela grande. Ligue o forno a 220°C.

FRANGO Coloque os filés sobre uma tábua de plástico e corte-os ao meio parcialmente, deixando-os ainda ligados. Regue com azeite, polvilhe sal e pimenta e esfregue nos dois lados da carne. Coloque na chapa quente, com a pele para baixo, e deixe fritar. Lave a tábua, a faca e as mãos.

MILHO Coloque as espigas na panela com uma boa pitada de sal e cubra com água fervente. Tampe.

MOLHO JERK Pique grosseiramente as cebolinhas e coloque no liquidificador com a maior parte do tomilho, 3 folhas de louro (sem o talo), uma pitada grande de cravo-em-pó, de noz-moscada e de pimenta-de-caiena, 6 colheres (sopa) de rum e 6 colheres (sopa) de vinagre, 1 colher (sopa) de mel e 2 colheres (chá) de sal. Retire o talo e as sementes da pimenta cambuci e acrescente ao liquidificador, esmague por cima 4 dentes de alho com casca, tampe e bata até obter uma pasta muito, muito lisa. Se necessário, adicione um fio de azeite extravirgem para ligar.

FRANGO Como a parte de baixo do frango deve estar dourada, vire os pedaços. Despeje o molho *jerk* numa assadeira média e, com um pegador, acomode os pedaços de frango sobre ele, com a pele para cima. Despeje 1 colher (sopa) de mel e espalhe alguns ramos de alecrim e o tomilho restante. Coloque na prateleira superior do forno e asse por 15 minutos ou até ficar bem cozido. Com muito cuidado, jogue fora o óleo que ficou na chapa, limpe-a com toalhas de papel e leve de volta ao fogo alto.

ARROZ & FEIJÃO Coloque uma panela larga com tampa em fogo médio. Apare as cebolinhas, fatie bem fino e coloque na panela, junto com a canela, uma boa esguichada de azeite e uma pitada de sal e pimenta. Mexa e deixe amaciar por 1 minuto, depois adicione o arroz e o caldo de galinha. Escorra o feijão, enxágue e acrescente à panela, mexendo delicadamente. Aumente o fogo até ferver e depois reduza para fogo médio. Tampe e cozinhe por 12 minutos.

IOGURTE Despeje o iogurte numa tigelinha. Pique bem fino alguns ramos de coentro. Acrescente ao iogurte o coentro, uma pitada de sal e um fio de azeite extravirgem. Rale por cima a casca de ½ limão e esprema o suco. Misture e leve à mesa com a outra metade do limão para espremer por cima.

MILHO Use um pegador para transferir as espigas da panela para a chapa quente e regue com um fio de azeite. Asse, virando com frequência, até ficar chamuscado. Quando prontas, coloque as espigas numa travessa e leve à mesa.

SALADA Pegue uma tábua de madeira grande que possa ir à mesa. Tire as sementes do pimentão vermelho e pique grosseiramente. Coloque o *radicchio* e a alface por cima e continue picando até ficarem finos. Faça uma cova no centro. Despeje algumas esguichadas de azeite extravirgem e esprema o suco dos 2 limões. Rale por cima ¼ de cebola roxa, tempere com sal e pimenta e misture tudo. Rasgue o coentro por cima, pique e acrescente o agrião. Leve à mesa.

ARROZ & FEIJÃO Depois de 12 minutos, tire a tampa do arroz e mexa. Todo o líquido deverá ter sido absorvido. Prove e, se necessário, corrija o tempero. Leve à mesa.

PARA SERVIR Tire o frango do forno, salpique algumas folhas de coentro e leve diretamente à mesa. Quando servir, coloque por cima colheradas do molho *jerk* que está no fundo da assadeira. Abra algumas garrafas de cerveja e bom apetite.

ESPETINHOS DE FRANGO

MOLHO SATAY

SALADA PICANTE DE MACARRÃO

FRUTAS & AÇÚCAR DE HORTELÃ

SERVE 4

MOLHO SATAY

½ maço pequeno de coentro fresco
1 pimenta vermelha fresca
½ dente de alho
3 colheres (sopa) de manteiga de
 amendoim
molho de soja (shoyu)
1 pedaço de 2 cm de gengibre fresco
2 limões

FRANGO

4 filés de frango (180 g cada) sem pele
mel, para regar

MACARRÃO

250 g de *noodles* com ovos seco
100 g de castanha de caju sem sal

½ cebola roxa média
1 pimenta vermelha fresca
um maço pequeno de coentro fresco
1-2 colheres (sopa) de molho de soja
 (shoyu)
1 limão
1 colher (chá) de óleo de gergelim
1 colher (chá) de molho de peixe
 (N. do T. – Encontrado com o nome
 de *nam pla* nas lojas de produtos
 orientais)
1 colher (chá) de mel

TEMPEROS

azeite de oliva
azeite de oliva extravirgem
sal marinho e pimenta-do-reino

GUARNIÇÕES

2 pés de minialface-romana
½ maço pequeno de coentro fresco
opcional: 1 pimenta vermelha fresca
molho de soja (shoyu)
1 limão

FRUTAS & AÇÚCAR DE HORTELÃ

1 abacaxi grande
150 g de mirtilo ou cereja
um maço pequeno de hortelã fresca
3 colheres (sopa) de açúcar
1 limão
500 g de iogurte de coco

PARA COMEÇAR Reúna os ingredientes e utensílios que irá usar. Ligue o grill no máximo. Coloque 4 espetos de madeira de molho numa travessa com água fria (se flutuarem, use um prato para mantê-los submersos). Instale o batedor de lâminas no processador de alimentos.

MOLHO SATAY Coloque no processador o coentro (talos e tudo), a pimenta vermelha (sem o talo), o alho descascado, 3 colheres (sopa) de manteiga de amendoim e uma borrifada de molho de soja. Descasque o gengibre, pique grosseiramente e acrescente. Rale bem fino a casca dos 2 limões e esprema o suco de um deles. Adicione algumas borrifadas de água e bata até obter uma pasta que possa ser tirada com uma colher. Tempere com sal e pimenta. Coloque metade em uma tigela bonita e despeje um fio de azeite extravirgem. Reserve.

FRANGO Arrume os filés numa tábua de plástico, bem unidos. Com cuidado, enfie os espetos na carne. Corte entre os espetos – veja foto na página ao lado (⚬⚬). Corte qualquer ponta que esteja sobrando e coloque no espeto também. Faça cortes rasos na carne para ficar mais crocante. Com uma colher, passe o satay que sobrou no processador para uma assadeira, coloque os espetos por cima e besunte-os com as mãos, esfregando para penetrar. Lave a tábua, a faca e as mãos. Regue com um fio de azeite e tempere com sal. Coloque na prateleira superior do forno, sob o grill, por 8-10 minutos de cada lado ou até dourarem e ficarem bem cozidos.

GUARNIÇÕES Apare a base dos pés de alface, elimine as folhas externas que não estiverem bonitas e separe as outras. Lave no escorredor, seque na centrífuga de verduras e leve diretamente à mesa. Encha a chaleira de água e coloque para ferver.

MACARRÃO Coloque os ninhos de macarrão numa tigela grande, cubra com água fervente e um prato, e deixe de molho por 6 minutos. Coloque uma frigideira média em fogo baixo. Abra um pano de prato na superfície de trabalho e quebre as castanhas de caju com o rolo de massa. Passe para a frigideira e deixe tostar, mexendo de vez em quando. Fique de olho.

Descasque ½ cebola roxa e coloque no processador, junto com a pimenta vermelha (sem o talo) e os talos do coentro. Pulse até ficarem bem picados e passe para uma tigela grande. Adicione 1-2 colheres (sopa) de molho de soja e algumas esguichadas de azeite extravirgem. Esprema por cima o suco de 1 limão, depois junte 1 colher (chá) de óleo de gergelim e 1 colher (chá) de molho de peixe. Mexa bem, prove e corrija o tempero. Escorra o macarrão, passe rapidamente sob água fria, escorra de novo e coloque na tigela.

Mexa as castanhas de caju e aumente o fogo. Adicione 1 colher (chá) de mel, sempre mexendo e sacudindo a frigideira. Quando estiverem bem escuras, passe para a tigela e adicione as folhas de coentro. Misture bem e leve à mesa, junto com o molho satay.

FRANGO Vire os espetinhos, regue com um pouco de mel e volte a pôr sob o grill por mais 8-10 minutos.

FRUTAS & AÇÚCAR DE HORTELÃ Descasque o abacaxi, corte em fatias e arranje numa travessa com os mirtilos no centro. Separe as folhas de hortelã e bata no pilão até obter uma pasta. Adicione o açúcar e bata de novo. Espalhe 1 colher (sopa) desse açúcar de hortelã sobre o abacaxi (guarde o restante num vidro e deixe na geladeira para outra ocasião). Esprema ½ limão por cima e sirva acompanhado pelo iogurte de coco.

GUARNIÇÕES Pique grosseiramente as folhas de coentro e corte a pimenta vermelha (se for usá-la) em fatias bem finas. Coloque em tigelinhas separadas e leve à mesa ao lado das folhas de alface.

PARA SERVIR Leve os espetinhos à mesa com um frasco de molho de soja e gomos de limão para espremer. Explique a todos como fazer um pacotinho com folha de alface, macarrão, frango, coentro, pimenta e suco de limão.

FRANGO RECHEADO À CIPRIOTA

ASPARGOS & TOMATES NA PANELA

SALADA DE REPOLHO

REFRESCO DE SÃO CLEMENTE

FLOAT DE SORVETE

SERVE 4

FRANGO

um maço pequeno de salsa fresca
um maço pequeno de manjericão
  fresco
8 tomates secos em óleo
2-3 dentes de alho
100 g de queijo *feta*
casca de 1 limão
4 filés de frango (180 g cada), com
  osso e pele, se possível
4 ramos de alecrim fresco

ASPARGOS & TOMATES

5-6 dentes de alho
200 g de tomate-cereja em rama
um maço de ervas frescas, como
  tomilho, alecrim e louro
250 g de aspargo
8-10 azeitonas pretas, sem caroço

PÃO SÍRIO

1 colher (chá) de orégano seco
2 dentes de alho
6 pães sírios pequenos

SALADA DE REPOLHO

½ repolho pequeno
1 cebola
alguns ramos de salsa fresca
alguns ramos de manjericão fresco
½ pimenta vermelha fresca
2 limões

TEMPEROS

azeite de oliva
azeite de oliva extravirgem
sal marinho e pimenta-do-reino

REFRESCO

cubos de gelo
5-6 ramos de hortelã
1 limão
2 laranjas
1 garrafa de água com gás

FLOAT DE SORVETE

500 ml de sorvete de baunilha
algumas colheres (chá) de café
  instantâneo (ou algumas doses de
  espresso, se preferir)
2 cubos de açúcar
um punhado de biscoito *cantucci*

PARA COMEÇAR Separe todos os ingredientes e utensílios que vai usar. Ligue o forno a 220°C. Coloque 2 frigideiras grandes em fogo médio. Instale o disco de fatiar grosso no processador de alimentos.

FRANGO Coloque sobre a tábua de cortar a salsa, o manjericão, os tomates secos com um pouco do seu óleo e uma pitada de pimenta. Esmague por cima 2-3 dentes de alho com casca e pique tudo muito bem, misturando com a faca enquanto trabalha. Esmigalhe o queijo *feta*, rale finamente a casca do limão e misture de novo.

ASPARGOS & TOMATES Despeje azeite numa das frigideiras e esmague os dentes de alho com casca. Adicione os tomates em rama e as ervas. Diminua para fogo brando.

FRANGO Sobre uma folha de papel-manteiga, arranje os filés com a pele para baixo. Use uma faquinha afiada para abrir cada um como um livro, para dar lugar ao recheio. Divida a mistura que está na tábua entre eles e recheie. Aperte bem, dobre e feche os filés (🎥). Lave as mãos.

Coloque 2 esguichadas de azeite na frigideira vazia. Transfira os filés para a frigideira com um pegador, com a pele para baixo. Amasse uma folha de papel-manteiga sob a torneira. Abra, coloque sobre o frango e deixe cozinhando, sacudindo a frigideira de vez em quando.

PÃO SÍRIO Polvilhe sal e pimenta na tábua ainda não lavada, adicione 1 colher (chá) de orégano e umas borrifadas de azeite. Esmague por cima 2 dentes de alho com casca. Umedeça os pães com essa mistura. Amasse outra folha de papel-manteiga sob a torneira, estenda, arrume os pães sobre ela e embrulhe. Coloque no forno. Encha a chaleira de água e leve para ferver.

ASPARGOS & TOMATES Vire a tábua de cortar e apare o talo dos aspargos. Coloque-os na frigideira e mexa, depois acrescente as azeitonas pretas.

SALADA DE REPOLHO Tire as folhas externas do repolho, corte ao meio e pique metade no processador. Coloque numa tigela grande. Descasque a cebola, corte ao meio e pique no processador, junto com a salsa, o manjericão e a pimenta vermelha (sem o talo). Coloque na tigela. (Guarde a outra metade do repolho e da cebola para outra ocasião.)

Esprema na tigela o suco de 2 limões, adicione algumas borrifadas de azeite extravirgem e uma pitada de sal. Mexa e amasse tudo com as mãos. Leve à mesa.

FRANGO O frango já deve estar dourado por baixo. Vire cada pedaço e coloque em cima 1 raminho de alecrim. Volte a cobrir com o papel. Apoie uma frigideira média por cima para achatar um pouco e ajudar a deixá-los mais crocantes.

REFRESCO Encha uma jarra grande com gelo até a metade. Amasse os ramos de hortelã e adicione. Junte o suco do limão e das laranjas. Adicione 2 metades de laranja, cubra com água com gás e mexa. Leve à mesa.

FLOAT DE SORVETE Tire o sorvete do freezer. Prepare uma jarrinha de café com algumas colheres (chá) de café instantâneo, 200 ml de água fervente e os cubos de açúcar. Empilhe os biscoitos *cantucci* numa tábua onde estão 4 xícaras (chá). Deixe numa ponta da mesa, ao lado do sorvete.

FRANGO Transfira o frango para uma tábua de madeira e fatie um peito para verificar se está bem cozido. Despeje por cima os sucos da frigideira e leve à mesa.

PARA SERVIR Passe os vegetais para uma travessa e leve à mesa, junto com os pães sírios.

FLOAT DE SORVETE Quando chegar a hora de servir, coloque uma bola de sorvete em cada xícara, despeje o café e acrescente um biscoito. Lindo, lindo!

FRANGO PIRIPÍRI

BATATAS TEMPERADAS

SALADA DE RÚCULA

TORTINHAS PORTUGUESAS RÁPIDAS

SERVE 4

(com 2 tortinhas de sobra)

FRANGO
4 sobrecoxas de frango
  com ossos e pele
1 pimentão vermelho
1 pimentão amarelo
6 ramos de tomilho fresco

BATATAS
1 batata média
2 batatas-doces
½ limão
1 pimenta vermelha fresca
um maço de coentro fresco
50 g de queijo *feta*

SALADA
1 embalagem (100 g) de rúcula
  pré-lavada
½ limão

MOLHO PIRIPÍRI
1 cebola roxa
4 dentes de alho
1-2 pimentas-malagueta (N. do T. –
  Também conhecida pelo nome de
  piripíri)
2 colheres (sopa) de páprica doce
  defumada
2 limões
4 colheres (sopa) de vinagre de vinho
  branco
2 colheres (sopa) de molho inglês
um maço grande de manjericão
  fresco

TEMPEROS
azeite de oliva
azeite de oliva extravirgem
sal e pimenta-do-reino

TORTINHAS (rende 6)
farinha de trigo, para polvilhar
1 pacote (375 g) de massa folhada
  laminada, descongelada
canela em pó
125 g de *crème fraîche* (veja página 32)
1 ovo
1 colher (chá) de essência de baunilha
5 colheres (sopa) de açúcar
1 laranja

PARA COMEÇAR Reúna todos os ingredientes e utensílios que vai usar. Ligue o forno a 200°C. Coloque uma chapa grande sobre fogo alto.

FRANGO Coloque as sobrecoxas numa tábua de plástico com a pele para baixo e faça alguns cortes na carne. Regue com azeite e tempere com sal e pimenta. Coloque na chapa que está esquentando, com a pele para baixo. Asse até dourarem embaixo e depois vire. Lave as mãos.

TORTINHAS Polvilhe a superfície de trabalho com farinha. Estenda a massa e corte ao meio para ficar com 2 quadrados de 20 cm (guarde um na geladeira para outro uso). Polvilhe sobre a massa algumas pitadas de canela, depois enrole e corte em 6 rodelas. Coloque uma rodela em cada forminha e use os polegares para moldar a massa (como se vê na foto da página ao lado), para que fique chata no fundo e com bordas altas. Leve ao forno na prateleira superior e asse por 8-10 minutos (ajuste o timer) ou até ficarem levemente douradas.

BATATAS Lave a batata e as batatas-doces e corte-as ao meio no sentido do comprimento. Coloque numa tigela refratária com ½ limão. Cubra com filme plástico e leve ao micro-ondas por 15 minutos em potência alta.

FRANGO Vire o frango na chapa.

TORTINHAS Coloque o *crème fraîche* numa tigela pequena. Junte o ovo, a baunilha, 1 colher (sopa) de açúcar e a casca ralada da laranja. Misture bem.

MOLHO PIRIPÍRI Descasque a cebola roxa, pique grosseiramente e coloque no liquidificador. Acrescente 4 dentes de alho descascados, as pimentas (sem o talo), 2 colheres (sopa) de páprica, a casca ralada de 2 limões e o suco de 1 limão, 4 colheres (sopa) de vinagre de vinho branco, 2 colheres (sopa) de molho inglês, sal e pimenta, o maço de manjericão e um pouco de água. Bata até ficar liso.

FRANGO Corte cada pimentão em 4 partes e coloque na chapa ao lado do frango. Diminua o fogo para médio e, de vez em quando, vire os pimentões.

TORTINHAS Tire a assadeira do forno e use uma colher (chá) para apertar a massa nos lados e abrir espaço para o recheio. Com uma colher, coloque a mistura de *crème fraîche* nas tortinhas e devolva a assadeira à prateleira superior do forno. Ajuste o timer para 8 minutos.

FRANGO Coloque o molho piripíri numa assadeira média. Arrume o frango e o pimentão sobre o molho. Espalhe os ramos de tomilho e leve ao forno na prateleira do meio.

TORTINHAS Coloque uma panela pequena em fogo alto. Esprema o suco da laranja sem casca, junte 4 colheres (sopa) de açúcar e mexa bem. Fique de olho, mas não mexa mais, pois o caramelo pode queimar você facilmente.

BATATAS Pique muito bem a pimenta vermelha e a maior parte do coentro, misturando com a faca enquanto corta. Adicione o queijo *feta* e continue picando e misturando.

FRANGO Tire as tortinhas do forno e passe a assadeira do frango para a prateleira superior para assar por 10 minutos ou até as sobrecoxas ficarem bem cozidas.

TORTINHAS Despeje um pouco de caramelo em cada tortinha (o recheio ainda está meio mole, mas isso é bom). Deixe de lado para firmar.

SALADA Tempere a rúcula, ainda na embalagem, com azeite extravirgem, sal, pimenta e o suco de ½ limão. Passe para uma tigela e leve à mesa.

BATATAS Verifique se as batatas estão cozidas. Com um pegador, esprema sobre elas o suco da metade de limão cozido. Acrescente a mistura de coentro picado da tábua e mexa. Tempere com sal e pimenta e leve à mesa.

PARA SERVIR Tire o frango do forno, salpique por cima algumas folhas de coentro e leve diretamente à mesa.

SALADA DE PATO

SERVE 4

CROÛTONS GIGANTES
ARROZ-DOCE
COM AMEIXA COZIDA

PATO

4 filés de peito de pato (200 g cada), com a pele
cinco-especiarias (N. do T. – Uma mistura chinesa composta de cravo-da-índia, pimenta-de-sichuan, anis-estrelado, canela e erva-doce)
tomilho seco
1 pimenta vermelha fresca
1 ramo pequeno de hortelã fresca
½ limão
1 colher (chá) de mel

CROÛTONS

1 pão *ciabatta*
um maço pequeno de alecrim fresco
5 dentes de alho

1 colher (chá) de sementes de erva-doce

SALADA MISTA

1 romã
1 embalagem (100 g) de alface-de-cordeiro ou rúcula
2 cenouras
um maço pequeno de rabanete
um maço de miniagrião
um maço pequeno de hortelã fresca
vinagre balsâmico
½ limão

TEMPEROS

azeite de oliva
azeite de oliva extravirgem
sal e pimenta-do-reino

ARROZ-DOCE & AMEIXA

um punhado de amêndoa em lascas
5 colheres (sopa) bem cheias de açúcar de confeiteiro
2 laranjas
12 ameixas pequenas maduras, de várias cores, se possível
opcional: 1 colher (chá) de essência de baunilha
4 potes (150 g) de arroz-doce congelado, descongelado (ou faça e congele você mesmo para usar quando precisar)

PARA SERVIR

uma garrafa de vinho *rosé* gelado

PARA COMEÇAR Pegue todos os ingredientes e utensílios que irá usar. Coloque uma frigideira grande (aprox. 30 cm) em fogo médio e uma panela grande em fogo baixo. Ligue o forno a 200°C.

PATO Risque a gordura dos peitos de pato formando um xadrez e tempere com sal, pimenta, cinco-especiarias e tomilho seco, depois esfregue toda a carne com azeite. Coloque na frigideira quente, com a gordura para baixo, e frite por 16-18 minutos, virando a cada 2-3 minutos para malpassado ou até o ponto de sua preferência. Pegue uma tampa chata um pouco menor que a frigideira e aperte a carne para que fique crocante. Deixe a tampa na frigideira.

ARROZ-DOCE & AMEIXA Enxágue as lascas de amêndoa numa peneira e polvilhe 2 colheres (sopa) de açúcar de confeiteiro. Coloque em uma assadeira e leve ao forno, na prateleira superior, por 10 minutos para dourar.

CROÛTONS Corte a *ciabatta* em fatias de 2 cm de espessura, coloque em uma assadeira e regue com azeite. Rasgue sobre elas alguns ramos de alecrim e esmague 5 dentes de alho com casca. Adicione sal, pimenta e a erva-doce e leve ao forno na prateleira do meio por cerca de 16 minutos.

PATO Lembre-se de ficar voltando à frigideira para virar os filés a cada 2-3 minutos.

ARROZ-DOCE & AMEIXA Corte a casca de 1 laranja em tirinhas e coloque na panela grande aquecida. Esprema o suco das 2 laranjas e adicione 3 colheres (sopa) cheias de açúcar de confeiteiro. Corte as ameixas ao meio e depois em quartos, descarte o caroço e coloque na panela. Junte a baunilha (se for usá-la) e misture bem. Aumente o fogo para alto e tampe. Cozinhe por cerca de 15 minutos ou até a ameixa ficar macia e deliciosa. Dê uma olhada na amêndoa e mexa com uma colher de pau. Torre por mais alguns minutos até dourar, retire do forno e reserve.

SALADA Corte a romã ao meio, segure-a sobre uma tigela com o lado cortado para baixo e bata na casca com uma colher para as sementes soltarem. Adicione a alface-de-cordeiro ou a rúcula. Fatie as cenouras com o descascador de legumes. Fatie os rabanetes e acrescente. Corte o agrião com uma tesoura e adicione. Fatie as folhas de hortelã e coloque na tigela. Para o tempero, misture em uma jarrinha umas esguichadas de azeite extravirgem, uma borrifada de vinagre balsâmico, sal, pimenta e o suco de ½ limão. Leve à mesa para misturar no último instante.

ARROZ-DOCE & AMEIXA Tire a amêndoa do forno. Mexa a ameixa na panela, tampe e diminua o fogo para brando. Coloque o arroz-doce descongelado numa tigela.

CROÛTONS A essa altura, seus *croûtons* devem estar dourados e crocantes. Retire do forno e reserve.

PATO Quando o pato atingir seu ponto preferido (o meu é de rosadinho a médio), pegue uma bonita tábua de madeira. Tire as sementes da pimenta vermelha e pique junto com a hortelã. Reserve um pouquinho para decorar e tempere o restante com sal, pimenta, um fio de azeite extravirgem, o suco de ½ limão e 1 colher (chá) de mel. Misture e pique tudo de novo na tábua. Com um pegador, transfira os filés de pato da frigideira para a tábua. Corte em fatias diagonais de 1 cm e misture com os temperos. Arranje os *croûtons* em volta da carne para absorver os sucos saborosos. Regue com azeite extravirgem, espalhe a hortelã e a pimenta reservadas e leve à mesa. Retire a ameixa cozida do fogo e reserve até a hora de servir.

PARA SERVIR Tempere rapidamente a salada e peça para todos se servirem. Acompanhe com uma taça de vinho *rosé* gelado. Depois do jantar, prove a ameixa cozida e adicione mais açúcar de confeiteiro, se necessário. Coloque a ameixa sobre o arroz-doce às colheradas e leve à mesa com a amêndoa torrada para salpicar por cima.

CURRY DE CAMARÃO À TAILANDESA

ARROZ DE JASMIM

SALADA DE PEPINO

TRAVESSA DE PAPAIA

SERVE 4

SALADA DE PEPINO
um pedaço de 2 cm de gengibre
 fresco
1 colher (sopa) de molho de soja
 (shoyu)
1 colher (chá) de óleo de gergelim
1 limão
1 pepino
um maço pequeno de coentro fresco
½ pimenta vermelha fresca

ARROZ DE JASMIM
1 caneca de arroz basmati
2 saquinhos de chá de jasmim ou
 1 flor de jasmim

CURRY VERMELHO
2 talos de capim-cidreira
1 pimenta vermelha fresca

2 dentes de alho
opcional: 4 folhas de limão *kaffir*
 frescas, secas ou congeladas
um maço de coentro fresco
2 pimentões vermelhos em óleo
1 colher (chá) bem cheia de purê de
 tomate
1 colher (sopa) de molho de peixe
 (*nam pla*)
2 colheres (sopa) de molho de soja
 (shoyu)
1 colher (chá) de óleo de gergelim
um pedaço de 2 cm de gengibre
 fresco
8 camarões grandes, com a casca
200 g de ervilha-torta
220 g de camarões pequenos cozidos
400 ml de leite de coco

2 limões, para servir
1 pacote de salgadinhos de camarão,
 para servir

TEMPEROS
azeite de oliva
azeite de oliva extravirgem
sal e pimenta-do-reino

TRAVESSA DE PAPAIA
2 papaias
iogurte natural firme ou coalhada
 fresca
1 limão
2 bananas
ramos de hortelã fresca
opcional: alguns biscoitos ou
 macaroons, para servir

PARA COMEÇAR Separe todos os ingredientes e utensílios que irá usar. Acenda o forno a 200°C. Encha a chaleira de água e leve para ferver. Instale o batedor de lâminas no processador de alimentos.

SALADA DE PEPINO Descasque um pedaço de 2 cm de gengibre fresco, rale numa travessa e adicione 1 colher (sopa) de molho de soja, 3 colheres (sopa) de azeite extravirgem e 1 colher (chá) de óleo de gergelim. Esprema o suco de 1 limão e prove o tempero. Use um descascador de legumes com lâmina oscilante para cortar fitas compridas do pepino sobre a travessa. Descarte o miolo com as sementes. Pegue um pequeno maço de coentro e pique muito bem os talos, reservando as folhas. Salpique os talos sobre o pepino. Pique ½ pimenta vermelha e também salpique. Leve à mesa, mas não misture até a hora de comer.

ARROZ DE JASMIM Coloque uma panela média em fogo médio. Junte a caneca de arroz, uma pitada de sal, uma esguichada de azeite, os 2 saquinhos de chá de jasmim ou a flor e cubra com 2 canecas de água fervente (use a mesma caneca que usou para medir o arroz). Tampe e cozinhe por 7 minutos, retire do fogo e deixe o vapor terminar o cozimento por mais 7 minutos.

CURRY VERMELHO Coloque uma frigideira grande sobre fogo médio. Apare as folhas de capim-cidreira, amasse os talos com o lado de uma faca e coloque no processador de alimentos. Adicione 1 pimenta vermelha fresca (sem o talo), 2 dentes de alho descascados, 4 folhas de limão *kaffir* (se for usá-las), um maço de coentro, os 2 pimentões vermelhos em conserva, 1 colher (chá) bem cheia de purê de tomate, 1 colher (sopa) de molho de peixe, 2 colheres (sopa) de molho de soja e 1 colher (chá) de óleo de gergelim. Descasque e acrescente 2 cm de gengibre fresco. Bata até obter uma pasta – talvez seja preciso parar e usar uma espátula para raspar os lados da jarra e misturar bem.

Dê uma esguichada de azeite na frigideira quente e coloque os camarões grandes com casca. Deixe fritar por 1 minuto, depois adicione 1 colher (sopa) da pasta de curry e frite por mais 1 minuto. Passe para uma forma refratária e leve ao forno na prateleira superior por 8-10 minutos. Coloque a frigideira em que fritou os camarões novamente em fogo médio. Acrescente um pouco de azeite, a ervilha-torta, os camarões pequenos cozidos e a pasta de curry restante e refogue por 1-2 minutos. Adicione o leite de coco, mexa bem e deixe cozinhando em fogo médio-baixo.

TRAVESSA DE PAPAIA Corte os papaias ao meio e elimine as sementes com uma colher. Rale por cima do iogurte um pouco de casca de limão e misture. Descasque as bananas e corte em rodelas. Coloque em cada pratinho ½ papaia e preencha a cavidade com rodelas de banana. Corte o limão ao meio e esprema metade sobre as frutas, em seguida rasgue por cima algumas folhas de hortelã. Coloque ao lado uma colherada do iogurte e leve à mesa, com os biscoitos ou *macaroons*, se preferir.

PARA SERVIR Prove o curry e, se necessário, corrija o tempero com algumas gotas de molho de soja. Espalhe por cima as folhas de coentro reservadas e leve à mesa com a travessa de camarões que estava no forno. Corte a metade restante do limão em gomos para espremer a gosto. Coloque os salgadinhos de camarão numa tigela e leve à mesa. Use um garfo para soltar o arroz e leve à mesa. Tempere a salada de pepino. Distribua o arroz nos pratos, despeje o curry por cima com uma concha e divida os camarões grandes entre eles.

SARDINHAS ASSADAS

HALLOUMI CROCANTE

SALADA DE AGRIÃO & FIGO

MUSSE DENSA DE CHOCOLATE

SERVE 4

(rende musse para 8)

SARDINHAS

8 sardinhas inteiras (aprox. 85 g cada), limpas e sem escamas
4 dentes de alho
1 limão
1 pimenta vermelha fresca
um maço pequeno de salsa fresca
1 colher (chá) de sementes de erva-doce

SALADA

2 colheres (sopa) de amêndoa em lascas
1 embalagem (100 g) de rúcula e agrião misturados e pré-lavados
1 embalagem (50 g) de brotos de alfafa
5-6 ramos de hortelã fresca

1 romã
1 colher (sopa) de vinagre de vinho branco

HALLOUMI

250 g de queijo *halloumi*
2 colheres (sopa) de sementes de gergelim
3 dentes de alho

FIGOS

4 figos
mel
2 ramos de hortelã fresca
1 limão

TEMPEROS

azeite de oliva
azeite de oliva extravirgem
sal e pimenta-do-reino

MUSSE (rende 8)

200 g de chocolate amargo (cerca de 70% de cacau)
uma bolota pequena de manteiga
2 colheres (sopa) de açúcar
300 ml de creme de leite fresco
1 colher (chá) de essência de baunilha
2 ovos grandes
uma borrifada de conhaque, Armagnac, Baileys ou Grand Marnier
chocolate em pó, para polvilhar
1 laranja, tangerina ou um punhado de morangos

PARA SERVIR

6 pães sírios integrais
uma garrafa de vinho *rosé* gelado

PARA COMEÇAR Reúna todos os ingredientes e utensílios que irá usar. Ligue o forno a 220°C. Coloque uma panela média em fogo médio e encha até a metade com água quente.

MUSSE Mantenha as barras de chocolate dentro da embalagem e bata-as sobre a superfície de trabalho. Pegue uma tigela grande de servir e 2 tigelas comuns. Coloque os pedaços de chocolate e a manteiga numa tigela refratária e acomode-a sobre a panela de água quente para derreter, mexendo de vez em quando. Enquanto isso, coloque na tigela de servir 2 colheres (sopa) de açúcar, os 300 ml de creme de leite fresco e 1 colher (chá) de baunilha. Bata com o batedor de arame até ficar sedoso, com picos moles.

Separe os ovos, adicione as gemas ao creme batido e coloque as claras na tigela vazia. Misture as gemas e reserve. Acrescente uma pitada de sal às claras e bata bem até ficarem firmes. Pegue o chocolate derretido às colheradas e coloque no creme de gemas, junte uma dose de conhaque ou licor e mexa bem. Com todo o cuidado, incorpore as claras em neve com uma espátula, depois leve ao freezer por alguns minutos para firmar.

SALADA Coloque uma frigideira média em fogo médio, adicione as lascas de amêndoa e torre, mexendo de vez em quando, até dourarem. Passe a amêndoa para uma tigelinha e coloque a frigideira vazia em fogo brando.

SARDINHAS Disponha as sardinhas em uma assadeira grande. Esmague por cima 4 dentes de alho com casca. Polvilhe sal e pimenta. Rale a casca de 1 limão, esprema todo o suco e adicione também as metades, com o lado cortado para cima. Regue com azeite. Corte 1 pimenta vermelha em fatias finas e salpique por cima. Pique bem os talos de salsa e espalhe, junto com 1 colher (chá) de sementes de erva-doce. Pique grosseiramente as folhas de salsa e reserve. Mexa tudo com as mãos. Leve a assadeira ao forno, na prateleira superior, por cerca de 10 minutos ou até ficarem douradas e crocantes. Lave as mãos.

HALLOUMI Corte o queijo em 8 pedaços. Espalhe por cima as sementes de gergelim e aperte-as no *halloumi*. Coloque azeite na frigideira quente. Esmague sobre o azeite 3 dentes de alho com casca. Aumente o fogo para médio. Assim que o alho começar a chiar, acrescente os pedaços de *halloumi*. Deixe fritar por 2 minutos, até dourarem, depois vire e desligue o fogo. Pegue as sementes de gergelim que ficaram na tábua e coloque-as na frigideira.

PÃO Molhe os dois lados de cada pão sírio com água fria e empilhe-os na prateleira inferior do forno para esquentar.

SALADA Coloque as verduras e os brotos de alfafa em uma travessa. Fatie as folhas de 5-6 ramos de hortelã e espalhe por cima, junto com a amêndoa torrada. Corte a romã ao meio, segure metade e bata na casca com as costas de uma colher para as sementes caírem na salada. Despeje 3 colheres (sopa) de azeite extravirgem numa jarrinha. Esprema e junte o suco da outra metade da romã. Adicione 1 colher (sopa) de vinagre de vinho branco, misture e leve à mesa com a salada para temperar no último minuto.

FIGOS Corte uma cruz no topo de cada figo e abra um pouco. Arrume-os numa tábua com uma tigelinha de mel. Tire as folhas de alguns ramos de hortelã e espalhe sobre os figos. Regue com 3 colheres (sopa) de azeite extravirgem e polvilhe uma pitada de sal. Corte o limão em gomos, coloque um gomo na tábua dos figos e leve à mesa.

PARA SERVIR Leve à mesa a assadeira com as sardinhas, os pães e a frigideira com o *halloumi*. Espalhe a salsa picada sobre o *halloumi* e arrume ao lado os gomos de limão restantes. Sirva o vinho *rosé*. Tire a musse do freezer, polvilhe levemente com chocolate em pó e sirva acompanhada de gomos de laranja, de tangerina ou morangos.

BACALHAU CROCANTE

PURÊ DE ERVILHA

À MINHA MODA

MOLHO TÁRTARO

SALADA VERDE QUENTE

SERVE 6-8

PURÊ DE ERVILHA

4 batatas médias
1 cabeça de brócolis ninja
500 g de ervilha congelada
uma bolota grande de manteiga
1-2 colheres (sobremesa) de molho
  de hortelã (ou folhas de hortelã
  fresca picadas)

MOLHO TÁRTARO

3 pepinos em conserva
1 colher (chá) bem cheia de alcaparra
  pequena
um maço pequeno de salsa fresca
½ lata (de 30 g) de filés de anchova
  em óleo
1 limão
200 g de maionese de boa qualidade
páprica doce, para polvilhar

BACALHAU

1 colher (chá) de sementes de
  erva-doce
2 filés de bacalhau fresco de
  600 g (ou 6 de 180 g), com pele,
  sem escamas nem espinhos
200 g de pão francês
4 dentes de alho
½ lata (de 30 g) de filés de anchova
  em óleo
140 g de tomate seco em óleo
um maço pequeno de manjericão
  fresco
½ -1 pimenta vermelha fresca
40 g de queijo parmesão
1 limão
vinagre balsâmico
2 ramos de alecrim fresco
2 ramos de tomilho fresco

TEMPEROS

azeite de oliva
azeite de oliva extravirgem
sal marinho e pimenta-do-reino

SALADA

6 fatias de *pancetta*
2 dentes de alho
5 colheres (sopa) de vinagre
  balsâmico
1 embalagem (100 g) de agrião
  pré-lavado
1 embalagem (100 g) de rúcula
  pré-lavada

PARA SERVIR

uma garrafa de vinho branco gelado

PARA COMEÇAR Pegue todos os ingredientes e utensílios que irá usar. Encha a chaleira de água e leve para ferver. Ligue o grill no máximo. Coloque uma panela grande em fogo brando. Instale o batedor de lâminas no processador de alimentos.

PURÊ DE ERVILHA Descasque as 4 batatas, pique em rodelas de 2 cm de espessura, coloque na panela quente com uma pitada de sal e cubra com água fervente. Tampe a panela e aumente o fogo para médio. Corte e descarte a ponta do talo do brócolis. Fatie o restante do talo e junte à batata. Separe as florzinhas em buquês e reserve.

BACALHAU Coloque umas esguichadas de azeite numa assadeira grande, polvilhe sal e pimenta e espalhe 1 colher (chá) de sementes de erva-doce. Esfregue os filés nesse tempero e arrume-os na assadeira com a pele para baixo. Regue com azeite e coloque sob o grill, na prateleira do meio, por 5 minutos, enquanto você prepara a cobertura.

Pique grosseiramente o pão, coloque no processador e bata. Enquanto está batendo, adicione 2 dentes de alho descascados e um pouco do óleo da lata de anchova. Passe o farelo de pão para uma tigela.

Coloque no processador metade da lata de anchova, os tomates secos, 2 dentes de alho descascados, o manjericão, a pimenta vermelha (sem o talo) e o pedaço de parmesão. Rale por cima a casca do limão e esprema o suco. Adicione umas borrifadas de vinagre balsâmico e bata até obter uma pasta, passando a espátula nas paredes da jarra. Retire o peixe do forno. Com uma colher, espalhe essa mistura sobre os filés, depois cubra com a farofa de pão. Despeje azeite sobre os ramos de alecrim e tomilho, arrume-os sobre os filés e volte a pôr a assadeira na prateleira do meio do forno, sob o grill, por 10 minutos ou até ficar dourado e crocante.

PURÊ DE ERVILHA Acrescente a ervilha e os buquês de brócolis à batata e volte a tampar a panela.

SALADA Leve uma frigideira média ao fogo médio e frite a *pancetta* até ficar crocante.

MOLHO TÁRTARO Enxágue rapidamente a jarra do processador e adicione 3 pepinos em conserva, 1 colher (chá) de alcaparras, um maço pequeno de salsa e o restante da lata de anchovas e seu óleo. Pulse algumas vezes, acrescentando um fio de azeite extravirgem, a casca ralada e o suco de ½ limão. Bata até quase formar uma pasta lisa, transfira para uma tigela pequena e junte 200 g de maionese. Misture e adicione o suco da outra metade do limão. Polvilhe a páprica, regue com azeite extravirgem e leve à mesa.

SALADA Quando a *pancetta* ficar dourada e bem crocante, diminua o fogo para brando e esmague sobre a frigideira 2 dentes de alho com casca. Retire a panela do fogo e adicione o vinagre balsâmico. Acrescente mais azeite extravirgem e mexa. Quebre as fatias crocantes de *pancetta* na própria frigideira com uma colher de pau.

PURÊ DE ERVILHA Escorra os vegetais, deixando-os secar por alguns minutos, e volte a pôr na panela. Adicione a manteiga, uma boa esguichada de azeite extravirgem, uma pitada de sal e pimenta, 1-2 colheres (sobremesa) de molho de hortelã e esmague grosseiramente com o amassador umas dez vezes. Transfira para uma tigela.

BACALHAU Dê uma olhada no peixe e, quando a crosta estiver dourada e crocante, retire a assadeira do forno e leve diretamente à mesa, com a tigela de purê.

SALADA No último minuto, passe as verduras para a panela com o tempero quente e mexa rapidamente. Leve à mesa na panela e sirva com vinho branco gelado.

BOLINHOS DE PEIXE
À SUECA

MINIBATATAS ASSADAS

SALADA DE BROTOS

SALSA FRESCA VIGOROSA

SERVE 4

BATATAS
500 g de minibatatas
½ limão
um maço pequeno de ervas frescas
  misturadas, como tomilho e alecrim

BOLINHOS DE PEIXE
2 fatias de pão amanhecido
2 filés de salmão (150 g cada),
  sem pele nem espinhos
1 filé de hadoque (300 g) sem pele
  nem espinhos
1 filé de atum (200 g)
1 limão
um maço pequeno de salsa fresca
1 dente de alho

SALSA
1 pimenta vermelha fresca
1 pimenta-verde fresca
4 cebolinhas verdes
4 tomates maduros
vinagre de vinho tinto
½ pepino
1 pimentão amarelo
1 pimentão vermelho
2 limões
um maço pequeno de manjericão
  fresco

SALADA
100 g de brotos de alfafa
1 pacote de pão sírio torrado
um maço pequeno de hortelã fresca
2 abacates pequenos maduros
um maço de miniagrião
1 limão

TEMPEROS
azeite de oliva
azeite de oliva extravirgem
sal e pimenta-do-reino

PARA SERVIR
uma garrafa de vinho branco gelado

PARA COMEÇAR Reúna todos os ingredientes e utensílios que irá usar. Encha a chaleira de água e leve para ferver. Ligue o forno a 220°C. Instale o batedor de lâminas no processador de alimentos.

BATATAS Coloque as batatas e ½ limão numa tigela grande que possa ir ao micro-ondas e cubra com duas camadas de filme plástico. Leve ao micro-ondas e cozinhe em potência alta por 7-10 minutos ou até ficarem cozidas.

BOLINHOS DE PEIXE Bata o pão no processador até obter uma farinha fina. Pegue um pedaço grande de papel-alumínio e coloque a farinha de pão, depois empurre para um lado. Coloque todos os peixes no processador. Acrescente a casca ralada de 1 limão e as folhas de salsa, descartando os talos. Adicione uma boa pitada de sal e pimenta e pulse algumas vezes até obter uma mistura grosseiramente picada.

BATATAS Pegue as folhas das ervas e pique bem. Retire as batatas do micro-ondas, use uma faca para verificar se estão cozidas, depois tire o filme plástico com cuidado. Adicione as ervas picadas, uma pitada de sal e pimenta e uma boa esguichada de azeite. Misture bem. Transfira para uma travessa refratária e coloque na prateleira superior do forno até dourar e ficar crocante.

BOLINHOS DE PEIXE Transfira a mistura de peixe para uma travessa e adicione 2 colheres (sopa) cheias de farinha de pão. Misture, amasse com as mãos e divida em 4 partes iguais. Se você tem um cortador de massa (aprox. 10 cm de diâmetro), use-o como molde. Se não tiver, faça 4 bolas e depois achate, prestando atenção para que os 4 bolinhos tenham a mesma espessura. Coloque em cima da farinha de pão e polvilhe por cima para cobri-los uniformemente (⊙⊙).

Coloque uma frigideira grande em fogo médio e adicione umas esguichadas de azeite. Esmague 1 dente de alho com a mão e junte. Quando o alho começar a chiar, use uma espátula para transferir os bolinhos para a frigideira. Frite por cerca de 7 minutos enquanto você prepara a salsa e, quando dourarem embaixo, vire e frite por mais 7 minutos para dourar o outro lado.

SALSA Lave rapidamente a jarra do processador. Descarte as sementes e o talo das pimentas, apare as cebolinhas e coloque-as no processador. Adicione os tomates, uma pitada de sal e pimenta, uma esguichada de vinagre de vinho tinto e pulse até a mistura ficar muito bem picada. Prove e ajuste o tempero, se necessário, e despeje numa travessa.

Corte o pepino ao meio no sentido do comprimento e pique em pedaços pequenos. Corte os pimentões ao meio, elimine as sementes e pique bem. Misture os dois na travessa e esprema por cima o suco de 2 limões. Reserve as folhas menores do manjericão para decorar, pique grosseiramente as folhas restantes e adicione.

BOLINHOS DE PEIXE A essa altura, os bolinhos deverão estar lindos e crocantes. Vire-os com a espátula.

SALADA Espalhe a alfafa em outra travessa e quebre por cima os pães crocantes. Fatie fino as folhas de hortelã, descartando os talos, e espalhe. Corte os abacates ao meio e distribua colheradas grandes da polpa sobre a travessa. Corte o miniagrião com uma tesoura, espalhe e polvilhe sal e pimenta. Leve a salada à mesa com uma garrafa de azeite extravirgem para temperar na hora e 1 limão cortado ao meio para espremer.

BATATAS Tire as batatas do forno e leve à mesa.

BOLINHOS DE PEIXE Use uma espátula para colocar os bolinhos de peixe sobre a salsa. Espalhe por cima as folhinhas novas de manjericão reservadas e uma pitada de sal. Leve à mesa com uma garrafa de vinho branco gelado.

VIEIRAS DE PANELA

SERVE 4 (com sobra de muitos brownies)

ARROZ COM PIMENTA-DOCE, SALADA VERDE
BROWNIES RÁPIDOS

ARROZ

1 caneca grande de arroz basmati
um maço pequeno de cebolinha verde
3 ovos
1 colher (sopa) de molho de soja
 (shoyu)
1 colher (sopa) de óleo de gergelim
½ limão
um maço pequeno de coentro fresco
molho de pimenta-doce

SALADA VERDE

4 pak choi (couve-chinesa)
200 g de brócolis
200 g de aspargo
molho de soja (shoyu)
½ limão

VIEIRAS

400 g de vieiras frescas, sem concha
 e limpas
1 limão
cinco-especiarias (veja página 128)
óleo de gergelim
opcional: ½ pimenta vermelha fresca
1 dente de alho
mel
2 bolotas pequenas de manteiga
um maço pequeno de coentro fresco

TEMPEROS

azeite de oliva
azeite de oliva extravirgem
sal e pimenta-do-reino

BROWNIES (rende 12)

2 barras (100 g cada) de chocolate
 amargo (cerca de 70% de cacau)
250 g de manteiga sem sal à
 temperatura ambiente
200 g de açúcar
6 colheres (sopa) de chocolate em pó
4 colheres (sopa) cheias de farinha de
 trigo com fermento
um punhado de gengibre cristalizado
 ou em conserva
4 ovos
um punhado de noz-pecã
um punhado de cereja seca
1 tangerina
crème fraîche (veja página 32)

PARA COMEÇAR Separe todos os ingredientes e utensílios que irá usar. Encha a chaleira de água e leve para ferver. Ligue o forno a 180°C e coloque uma caçarola rasa (aprox. 26 cm de diâmetro) em fogo médio. Instale o batedor de lâminas no processador de alimentos.

ARROZ Coloque o arroz na caçarola com 2 pitadas de sal. Cubra com 2 canecas de água fervente (use a mesma caneca com que mediu o arroz). Tampe e deixe cozinhar por 7 minutos. Volte a encher a chaleira e coloque para ferver.

BROWNIES Quebre o chocolate e coloque no processador. Adicione a manteiga, 200 g de açúcar, 6 colheres (sopa) rasas de chocolate em pó, 4 colheres (sopa) cheias de farinha com fermento, uma pitada de sal e o gengibre cristalizado. Bata bem. Enquanto o processador está ligado, quebre os ovos e incorpore. Amasse um pedaço grande de papel-manteiga sob água corrente. Desamasse e forre com ele uma assadeira (aprox. 32 cm x 26 cm), despeje um fio de azeite e espalhe por toda a superfície. Com uma espátula, passe a massa do brownie para a assadeira e espalhe uniformemente até ficar com 2,5 cm de espessura. Distribua as nozes-pecãs e as cerejas, apertando um pouco. Rale finamente a casca da tangerina por cima. Leve ao forno na prateleira superior e asse por 12-14 minutos.

VIEIRAS Coloque as vieiras em um pedaço de papel-manteiga. Faça alguns cortes rasos em cruz sobre elas. Regue com um pouco de azeite, tempere com sal e pimenta, rale casca de limão e polvilhe o pó de cinco-especiarias. Despeje o óleo de gergelim por cima e mexa tudo junto para recobrir completamente as vieiras com o tempero.

ARROZ Fatie bem fino as cebolinhas verdes e coloque numa tigela. Quebre os ovos por cima e adicione 1 colher (sopa) de molho de soja, 1 colher (sopa) de óleo de gergelim e um fio de azeite e bata com o batedor de arame. Tire a tampa do arroz e afofe com um garfo. Despeje a mistura de ovos sobre o arroz. Esprema o suco de ½ limão e junte

uma pitada de pimenta-do-reino. Volte a tampar a panela, diminua para fogo brando e cozinhe por mais 4-5 minutos.

VIEIRAS Pegue uma frigideira grande e leve ao fogo mais alto possível.

SALADA VERDE Encha uma panela grande até a metade com água fervente e leve ao fogo médio. Corte as folhas de pak choi ao meio pelo comprimento, apare os brócolis e os aspargos, depois coloque todos num escorredor ou peneira grande e cubra com papel-alumínio. Acomode sobre a panela de água fervente para cozinhar no vapor por alguns minutos, até amolecer, e então desligue o fogo.

ARROZ Fatie bem fino as folhas e talos de um maço pequeno de coentro e salpique sobre o arroz. Despeje um pouco de molho de pimenta-doce, tampe e leve à mesa.

VIEIRAS Coloque uma bela esguichada de azeite na frigideira quente e adicione as vieiras com o lado riscado para baixo. Pique bem a pimenta vermelha (se for usá-la) e espalhe sobre as vieiras. Você pode sacudir a frigideira à vontade, mas não vire as vieiras antes de 2-3 minutos de cozimento ou até dourarem na parte de baixo. Depois, vire todas e frite por mais 30 segundos. Esmague por cima 1 dente de alho com casca, esprema o suco de ½ limão, acrescente um fiozinho de mel e 2 bolotas pequenas de manteiga. Retire do fogo e, quando estiverem grudentas, passe para uma travessa e salpique as folhas de coentro.

SALADA VERDE Quando os vegetais estiverem macios, transfira para uma travessa. Regue com molho de soja, azeite extravirgem e o suco de ½ limão.

PARA SERVIR Leve o arroz, as vieiras e a salada verde para a mesa. Retire os brownies do forno para esfriar enquanto vocês se deleitam com as vieiras. Na hora da sobremesa, sirva os brownies quentes com um gomo de tangerina e uma colherada de crème fraîche.

TAGINE DE PEIXE MUITO, MUITO BOM

SALADA DE ERVA-DOCE

CUSCUZ

CHÁ DE LARANJA E HORTELÃ

SERVE 4

TAGINE

sementes de erva-doce
1 pau de canela
1 cebola roxa pequena
½ pimenta vermelha fresca
12 azeitonas variadas sem caroço
4 tomates
1 limão pequeno em conserva
1 colher (chá) bem cheia de
  ras el hanout (mistura marroquina)
  ou *garam masala* (mistura indiana)
açafrão
4 ramos de coentro fresco
400 g de mexilhão, limpo e sem
  barba (peça ajuda ao peixeiro)

CUSCUZ

250 g de cuscuz marroquino

PEIXE

4 filés (150 g cada) de tamboril
  sem pele e sem espinhos
2 dentes de alho
sementes de erva-doce
ras el hanout ou *garam masala*
orégano seco

SALADA

2 bulbos de erva-doce
1 limão
um maço pequeno de coentro fresco

IOGURTE

250 g de iogurte natural
1 colher (sopa) de *harissa* (N. do T. –
  Pasta de pimenta típica da Tunísia)

TEMPEROS

azeite de oliva
azeite de oliva extravirgem
sal e pimenta-do-reino

CHÁ

um maço de hortelã fresca
½ laranja
opcional: mel
opcional: cubos de gelo

PARA COMEÇAR Reúna todos os ingredientes e utensílios que irá usar. Ligue o grill no máximo. Coloque uma *tagine* (N. do T. – Tipo de panela usado no Marrocos para o preparo de cozidos, que levam o mesmo nome) ou uma caçarola grande em fogo médio. Instale o disco de fatiar fino no processador de alimentos. Encha a chaleira de água e leve para ferver.

TAGINE Coloque na caçarola grande uma esguichada de azeite, uma pitada de sementes de erva-doce e um pau de canela. Sobre uma tábua de plástico, arrume os filés de peixe lado a lado e apare 1 cm ou mais das pontas para que fiquem todos do mesmo tamanho. Arrume-os bem juntos em uma assadeira. Pique grosseiramente as aparas e coloque na caçarola, sempre mexendo. Descasque a cebola e fatie bem fino, fatie ½ pimenta vermelha e adicione ambas à caçarola. Rasgue as azeitonas por cima, misture bem, retire do fogo e deixe esfriar.

CUSCUZ Coloque o cuscuz numa tigela grande e tempere com sal e pimenta. Cubra com água fervente sem excesso, despeje um fio de azeite extravirgem, cubra com uma tampa ou prato e deixe a sêmola de trigo absorver o líquido.

PEIXE Regue o peixe com azeite. Esmague 2 dentes de alho com casca e acrescente. Espalhe por cima uma pitada de erva-doce, de *ras el hanout* ou *garam masala*, de orégano seco, de sal e pimenta. Leve à prateleira superior do forno, sob o grill, que agora deve estar muito quente. Asse por 14 minutos ou até ficar bem cozido.

TAGINE Pique grosso 2 tomates, pique muito bem os outros 2 e coloque na caçarola. Pique finamente 1 limão pequeno em conserva e adicione. Junte 1 colher (chá) cheia de *ras el hanout* e uma pitada de açafrão. Misture tudo muito bem e acrescente 250 ml de água. Agora, se você tem uma *tagine*, tampe e deixe cozinhar. Se não tem, faremos uma tampa fajuta pegando uma grande folha de papel-alumínio (com o comprimento do braço, mais ou menos) e dobrando em forma de cone. Amasse as beiradas porque o cone de-

verá ficar justo na parte interna da caçarola. Pique bem fino os 4 ramos de coentro e adicione. Mexa os mexilhões e, se algum deles estiver aberto, jogue fora. Coloque os bons na caçarola. Ajuste a tampa de papel-alumínio à borda interna da panela e cozinhe por cerca de 8 minutos ou até todos os mexilhões abrirem.

SALADA Apare a base e as pontas cortadas do bulbo de erva-doce, descartando as camadas externas, se necessário. Corte o bulbo ao meio e fatie no processador de alimentos usando o disco de fatiar fino. Esprema o limão sobre ele e fatie também o limão no processador. Passe para uma tigela grande, descartando pedaços grandes da erva-doce ou do limão. Separe as folhas dos talos de coentro. Fatie os talos e coloque numa tigela, junto com uma boa esguichada de azeite extravirgem e uma pitada de sal e pimenta. Pique grosseiramente as folhas de coentro, espalhe a maior parte sobre a salada e leve à mesa.

PEIXE Dê uma olhada no peixe. Se estiver bem cozido, desligue o grill e cubra a assadeira com papel-alumínio até a hora de servir. Encha a chaleira de água e leve ao fogo.

IOGURTE Coloque o iogurte numa tigela. Adicione no centro 1 colher (sopa) de *harissa* e um pouco de azeite extravirgem e misture. Polvilhe uma pitada de sal e leve à mesa.

CHÁ Rasgue as folhas de hortelã numa jarra ou bule. Com o descascador de legumes, corte lascas da casca de ½ laranja. Cubra com água fervente, adoce com um pouquinho de mel, se quiser, e leve à mesa. (Se preferir, sirva frio, despejando sobre cubos de gelo.)

PARA SERVIR Leve o tagine, o cuscuz e a assadeira com o peixe para a mesa. Tire o cone de papel-alumínio. Agora todos os mexilhões deverão estar abertos, por isso descarte os fechados. Espalhe sobre o tagine as folhas de coentro reservadas. Afofe o cuscuz com um garfo e sirva com o peixe e o tagine.

SALMÃO DEFUMADO

SERVE 4

SALADA DE BATATA
BETERRABA & QUEIJO COTTAGE
PÃO DE CENTEIO & MANTEIGA CASEIRA

SALADA DE BATATA
500 g de batata rosada, com casca
1 limão
2 ramos de tomilho fresco
um maço pequeno de endro (*dill*)

SALMÃO
1 embalagem (100 g) de agrião
  pré-lavado
400 g de salmão defumado de
  boa qualidade
1 limão
3 colheres (chá) cheias de raiz-forte
  em creme
1 embalagem de miniagrião

MANTEIGA
300 ml de creme de leite fresco
  (com alto teor de gordura)

BETERRABA
1 pacote (250 g) de beterraba cozida
  em embalagem a vácuo
vinagre balsâmico
um punhado pequeno de manjericão
  fresco
1 pote (250 g) de queijo *cottage*
alguns ramos de tomilho fresco
1 limão

TEMPEROS
azeite de oliva
azeite de oliva extravirgem
sal e pimenta-do-reino

PARA SERVIR
um pão de centeio
uma garrafa de vinho branco gelado
  ou cerveja tipo bitter

PARA COMEÇAR Pegue todos os ingredientes e utensílios que irá usar. Encha a chaleira de água e leve para ferver. Coloque uma panela com tampa em fogo médio. Arranje o pão de centeio numa tábua, com a faca, e leve à mesa. Instale o batedor de massa no processador de alimentos.

SALADA DE BATATA Lave as batatas com casca, corte em quartos e depois em fatias de 3 cm de espessura, eliminando os "olhos". Despeje a água fervente na panela quente, acrescente uma pitada de sal e a batata. Corte algumas tiras da casca do limão e adicione, junte 2 ramos de tomilho. Tampe e cozinhe por cerca de 10 minutos ou até a batata estar macia quando espetada com uma faca.

SALMÃO Coloque o agrião numa tábua de madeira grande. Arrume as fatias de salmão sobre as folhas formando ondas rústicas. Corte o limão em quartos. Espalhe 3 colheres (chá) cheias de raiz-forte numa extremidade da tábua, tempere com sal e pimenta, esprema 2 dos quartos de limão e regue com azeite extravirgem. Leve à mesa.

MANTEIGA Despeje o creme de leite fresco no processador. Deixe batendo – o segredo é bater bastante.

BETERRABA Coloque as beterrabas numa tábua, corte em pedaços e passe para uma travessa. Adicione 2 esguichadas de um bom vinagre balsâmico, azeite extravirgem e uma pitada de sal e pimenta. Rapidamente retire as folhas de manjericão dos talos e espalhe a maior parte sobre a beterraba. Misture para distribuir o tempero, prove e ajuste, se necessário.

MANTEIGA A essa altura, o creme de leite deve estar espesso e se juntando em forma de bola. Quando estiver pronto, vai parecer com manteiga e o som do processador mudará. Passe para uma peneira sobre a pia para escorrer e depois, usando as mãos, esprema até acabar com o excesso de água e molde. Coloque num pedaço de papel-manteiga e não manuseie demais para não derreter. Polvilhe uma pitada de sal e deixe-a ao lado do pão.

BETERRABA Abra o queijo *cottage* e despeje um fio de azeite extravirgem dentro do pote. Rasgue sobre o queijo as pontinhas do tomilho e adicione uma pitada de sal e pimenta. Rale bem fino a casca de ½ limão e misture. Espalhe sobre a beterraba colheradas do queijo *cottage* temperado, salpique pimenta, regue com um fio de azeite extravirgem e distribua o restante das folhas de manjericão. Leve à mesa.

SALADA DE BATATA Escorra a batata e deixe-a cozinhando no vapor por 2 minutos, enquanto você pica o endro bem fininho. Transfira a batata para uma tigela e adicione o endro, uma bolota da manteiga que você fez, uma boa quantidade de azeite extravirgem, uma pitada de sal e pimenta e o suco de ½ limão. Misture e leve à mesa.

PARA SERVIR Corte o miniagrião com tesoura sobre o salmão. Sirva com vinho branco ou cerveja gelada e com os gomos de limão restantes.

CHOWDER DE MILHO E HADOQUE DEFUMADO

CAMARÕES PICANTES

SALADA ARCO-ÍRIS

RASPADINHA DE FRAMBOESA

SERVE 4

CHOWDER

4 fatias de bacon defumado
um maço pequeno de cebolinha verde
250 g de batata rosada
4 espigas de milho
1 filé (300 g) de hadoque defumado,
  sem pele e sem espinhos
3 folhas de louro frescas
3 ramos de tomilho fresco
1 litro de caldo de galinha orgânico
150 ml de creme de leite
200 g de camarão cozido e
  descascado
1 pacote (150 g) de *crackers* grandes
  de *matzá* ou similar (procure no
  supermercado)

CAMARÕES PICANTES

8 camarões grandes com casca
uma bolota de manteiga
alguns ramos de tomilho fresco
1 colher (chá) de pimenta-de-caiena
canela em pó
4 dentes de alho
½ pimenta vermelha fresca
½ limão

TEMPEROS

azeite de oliva
azeite de oliva extravirgem
sal e pimenta-do-reino

SALADA

½ pimenta vermelha fresca
1 dente de alho

um macinho de estragão fresco
2 colheres (sopa) de vinagre de
  vinho tinto
3 colheres (sopa) de iogurte natural
  desnatado
1 abobrinha grande
2 cenouras
1 beterraba
1 embalagem de miniagrião

RASPADINHA

cubos de gelo
2 ramos de hortelã fresca
cordial de flor de sabugueiro
  (veja página 92)
150 g de framboesa
1 litro de club soda

PARA COMEÇAR Pegue todos os ingredientes e utensílios que irá usar. Instale o disco de ralar grosso no processador de alimentos. Coloque uma panela grande e funda em fogo alto. Ligue o grill no máximo.

CHOWDER Pique bem o bacon e coloque na panela com um pouco de azeite. Mexa até dourar. Limpe a cebolinha verde, corte bem fino, adicione e mexa. Lave as batatas, corte em pedaços de 2 cm, coloque na panela e mexa bem. Fique de olho na panela, mexendo sempre. Enquanto isso, abra um pano de prato limpo sobre a tábua de cortar e enrole as bordas para segurar o milho cortado. Pegue a espiga na vertical e deslize a faca na base dos grãos. Repita em toda a volta. Corte as outras espigas. Passe os grãos diretamente do pano para a panela. Acrescente o hadoque defumado, o louro e as folhinhas de tomilho. Cubra com o caldo de galinha, tampe e cozinhe por 12 minutos.

CAMARÕES PICANTES Acomode os camarões grandes numa panela que possa ir ao forno. Acrescente azeite, uma bolota de manteiga, uma pitada de sal e pimenta, alguns ramos de tomilho, 1 colher (chá) rasa de pimenta-de-caiena, uma pitada pequena de canela e 4 dentes de alho esmagados com casca. Retire as sementes de ½ pimenta vermelha, fatie e adicione à panela, junto com ½ limão. Misture tudo muito bem e, em seguida, coloque sob o grill, na prateleira superior do forno, por 8-10 minutos ou até os camarões ficarem cor-de-rosa escuro e dourados nas extremidades. Quando estiverem prontos, retire do forno e deixe descansar até a hora de servir.

SALADA Para fazer o molho, coloque no liquidificador ½ pimenta vermelha, 1 dente de alho descascado, um macinho de estragão, sal e pimenta, 2 colheres (sopa) de vinagre de vinho tinto, 6 colheres (sopa) de azeite extravirgem e 3 colheres (sopa) de iogurte natural desnatado. Bata até ficar bem combinado. Prove – o salgado e o ácido devem se

destacar, por isso ajuste, se necessário, e bata novamente. Despeje numa jarra pequena e leve à mesa.

CHOWDER Mexa bem e tampe novamente.

SALADA Lave e apare a abobrinha e as cenouras. Descasque a beterraba. Usando o disco de ralar grosso no processador, rale os legumes, um de cada vez. Passe para uma travessa e misture ligeiramente para parecer um arco-íris. Corte o miniagrião com a tesoura espalhando por cima. Coloque na mesa, perto da jarra com o molho, e tempere no último minuto.

CHOWDER Adicione o creme de leite e os camarões descascados e cozidos e misture bem. Tampe de novo e diminua para fogo brando. Empilhe os *crackers* na mesa.

RASPADINHA Lave o copo do processador e instale o batedor de lâminas. Adicione ½ litro ou 2 punhados de gelo e as folhas de 2 ramos de hortelã e bata até moer o gelo. Deixe o processador em funcionamento e junte 50 ml do cordial de flor de sabugueiro e as framboesas. Despeje ½ litro da club soda e bata até ficar bem misturado. Prove, acrescentando mais um pouquinho de cordial para adoçar, se for necessário. Passe para uma jarra grande, complete com a club soda restante e mexa de novo antes de servir.

CHOWDER Retire a panela do fogo. Você pode deixar o chowder grosso e pedaçudo ou usar um amassador de batata para obter um ensopado sedoso ou transformar em purê. Eu gosto de esmagar metade e depois misturar tudo.

PARA SERVIR Leve os camarões grandes à mesa junto com a panela de chowder. Quebre grosseiramente alguns *crackers* em cada tigela de servir, despeje uma concha de chowder por cima e coloque 2 camarões grandes ao lado. Tempere a salada com o molho, prove e ajuste o sal e a pimenta, depois é só comer.

BANDEJA DE PEIXE

SERVE 4 (rende torta banoffee para 10)

BATATA COM HORTELÃ, SALSA VERDE
SALADA DE ESPINAFRE, TORTA BANOFFEE

BATATAS

500 g de batata pequena ou nova
talos de um grande maço de hortelã
fresca
uma espremida de suco de limão

PEIXE

4 filés de salmão (150 g cada), com
pele, sem escamas e sem espinhos
8 camarões grandes com casca
um maço de aspargos
1 limão
1 pimenta vermelha fresca
um maço pequeno de manjericão
fresco
1 lata (30 g) de anchova em óleo
4 dentes de alho
3-4 tomates
4 fatias de *pancetta*

SALSA VERDE

folhas de ½ maço de hortelã fresca
(do maço usado nas batatas)
um maço pequeno de salsa fresca
1 dente de alho
2 colheres (sopa) de vinagre de
vinho tinto
1 colher (chá) bem cheia de mostarda
Dijon
1 colher (chá) de alcaparras
2 pepinos em conserva

SALADA DE ESPINAFRE

vinagre balsâmico
1 limão
folhas de ½ maço de hortelã fresca
(do maço usado nas batatas)
1 embalagem (200 g) de espinafre
pré-lavado

TEMPEROS

azeite de oliva
azeite de oliva extravirgem
sal e pimenta-do-reino

TORTA BANOFFEE (serve 8-10)

4 colheres (sopa) bem cheias de
açúcar
4 bananas maduras
100 ml de leite semidesnatado
1 base de massa para torta doce
(aprox. 200 g), pré-assada
300 ml de creme de leite fresco
1 colher (sopa) de café instantâneo
1 barra (100 g) de chocolate amargo
(cerca de 70% de cacau), para servir

PARA SERVIR

uma garrafa de vinho branco gelado

PARA COMEÇAR Reúna todos os ingredientes e utensílios que irá usar. Abra espaço no freezer para acomodar o prato com a torta. Encha a chaleira de água e leve para ferver. Coloque uma panela grande em fogo alto e ligue o grill no máximo. Instale o batedor de lâminas no processador de alimentos.

BATATAS Lave as batatas e coloque-as na panela. Arranque as folhas do topo do maço de hortelã e reserve. Adicione os talos à panela com uma pitada de sal. Cubra com água fervente e tampe.

TORTA BANOFFEE Leve uma frigideira média ao fogo alto. Coloque 4 colheres (sopa) bem cheias de açúcar na frigideira e sacuda para espalhar. Deixe derretendo enquanto você descasca 2 bananas e bate no liquidificador com 100 ml de leite até obter uma consistência bem sedosa. Com todo o cuidado, incline ligeiramente a frigideira para ajudar o açúcar a dissolver. Quando estiver dourado e borbulhando, despeje a banana batida. Não toque em nada que está na panela – o caramelo é ultraquente e pode causar queimaduras sérias. Mexa sem parar por 1-2 minutos para não grudar, até ficar escuro e dourado, e despeje na base de torta pré-assada (). Use uma colher para espalhar o recheio de maneira uniforme, depois passe a torta para um prato e leve ao freezer por alguns minutos.

PEIXE Acomode os filés de salmão e os camarões numa assadeira grande. Elimine a parte dura do talo dos aspargos e coloque na assadeira com sal e pimenta. Corte o limão em quartos e adicione. Pique bem fino a pimenta vermelha e acrescente, junto com as folhas de manjericão. Despeje o óleo da lata de anchova e desmanche 4 filés por cima. Esmague 4 dentes de alho com casca, adicione e regue com azeite. Pique grosseiramente os tomates e junte.

Na assadeira, os filés de salmão e os quartos de limão devem ficar virados para cima. Ajeite a gosto 4 fatias de *pancetta*. Coloque a assadeira sob o grill, na prateleira do meio do forno, por cerca de 10 minutos ou até a *pancetta* ficar linda e crocante, e o peixe, bem cozido.

BATATAS Verifique se as batatas estão bem cozidas, então desligue o fogo e escorra. Descarte os talos de hortelã e passe as batatas para uma tigela de servir. Tempere com azeite extravirgem, uma espremida de suco de limão e uma pitada de sal e pimenta.

SALSA VERDE Coloque metade das folhas de hortelã reservadas no processador de alimentos. Rasgue e acrescente todas as folhas de salsa, descartando os talos. Descasque 1 dente de alho e junte também. Adicione os filés de anchova restantes, 2 colheres (sopa) de vinagre de vinho tinto, 1 colher (chá) de mostarda Dijon, 1 colher (chá) de alcaparras, os pepinos em conserva e 6 colheres (sopa) de azeite extravirgem. Bata até ficar bem combinado, depois prove e ajuste o sabor, se necessário. Passe para uma tigelinha e leve à mesa.

SALADA DE ESPINAFRE Dê umas esguichadas de azeite extravirgem numa tigela de servir. Adicione uma pitada de sal e pimenta, umas 2 borrifadas de vinagre balsâmico e uma boa espremida de suco de limão. Fatie as últimas folhas de hortelã e acrescente. Coloque o espinafre sobre uma tábua de cortar, ajeite bem e corte em tiras de 1 cm de largura. Passe para a tigela com os temperos, mas só misture no último minuto.

TORTA BANOFFEE Bata o creme de leite fresco com um batedor de arame até ficar bem firme. Incorpore delicadamente 1 colher (sopa) de café instantâneo para obter um efeito marmorizado. Descasque as 2 bananas restantes e corte em fatias bem finas. Tire a base da torta do freezer e cubra com a banana fatiada. Com uma espátula, espalhe o creme por cima. Rale um pouco de chocolate () e leve de volta ao freezer até a hora de servir.

PEIXE Tire a assadeira do forno e leve direto à mesa. Sirva o peixe e as batatas com vinho branco gelado.

MEXILHÕES

BLOODY MARY

SALADA DE ERVAS

GLORIOSO MIL-FOLHAS

DE RUIBÃRBO

SERVE 4

MEXILHÕES

300 ml de purê de tomate
1 colher (sopa) de molho inglês
3 colheres (chá) bem cheias de
  raiz-forte em conserva
½-1 pimenta vermelha fresca
½ pé de salsão
4 dentes de alho
uma borrifada de vinho do Porto
uma boa borrifada de vodca
1 limão
2 kg de mexilhão, limpo e sem barba
  (peça ajuda ao peixeiro)
um maço pequeno de salsa fresca

SALADA DE ERVAS

5 tomates pequenos
vinagre balsâmico
½ limão
5 ramos de cada: salsa, estragão,
  endro, hortelã e manjericão
1 embalagem (100 g) de rúcula
  pré-lavada

TEMPEROS

azeite de oliva
azeite de oliva extravirgem
sal marinho e pimenta-do-reino

MIL-FOLHAS DE RUIBARBO

farinha de trigo, para polvilhar
1 embalagem (375 g) de massa
  folhada laminada
1 ovo

200 g de ruibarbo (N. do T. – Talos de
  uma planta utilizada na Europa e
  nos Estados Unidos no preparo de
  doces. Difícil de encontrar no Brasil.)
2 colheres (sopa) bem cheias de
  açúcar
1 laranja
um pedaço de 2 cm de gengibre
  fresco
1 colher (chá) de essência de
  baunilha
125 g de *crème fraîche* (veja página 32)
1 pote (150 g) de *custard* (N. do T. –
  Creme de baunilha, feito com
  gemas, leite e amido de milho.)

PARA SERVIR

uma baguete
cerveja de boa qualidade

PARA COMEÇAR Reúna todos os ingredientes e utensílios que irá usar. Ligue o forno a 190°C. Coloque uma panela grande com tampa e uma panela menor em fogo médio.

MIL-FOLHAS Polvilhe farinha sobre a superfície de trabalho. Desenrole a massa folhada e corte ao meio para obter dois quadrados de 20 cm. Coloque um quadrado na assadeira e congele o outro para usar em outra ocasião. Empurre a massa para baixo com o polegar nos cantos da assadeira, depois faça riscos em 1 cm das laterais de modo a criar uma borda decorada. Risque levemente a superfície da massa com uma faca formando um xadrez. Bata o ovo numa tigelinha e pincele toda a massa. Leve ao forno, na prateleira superior, por cerca de 20 minutos.

Fatie o ruibarbo em pedaços de 1 cm e coloque na panela menor com 2 colheres (sopa) bem cheias de açúcar. Rale fino a casca de ½ laranja e adicione. Descasque o pedaço de gengibre e rale bem fino. Acrescente 1 colher (chá) de baunilha e tampe. Verifique e mexa de vez em quando, enquanto faz as outras coisas.

MEXILHÕES Coloque o pão na parte de baixo do forno para aquecer. Despeje o purê de tomate numa jarra com 1 colher (sopa) de molho inglês e 3 colheres (chá) de raiz-forte. Fatie bem fino ½ pimenta (ou mais, se quiser) e adicione. Separe os talos do salsão, lave o miolo e coloque as folhas numa travessa. Apare os talos do salsão, fatie 2-3 talos bem fino e acrescente. Esmague na jarra 4 dentes de alho com casca. Adicione uma borrifada de vinho do Porto e uma boa borrifada de vodca. Misture muito bem. Esprema o suco de 1 limão e tempere com sal e pimenta.

MIL-FOLHAS O ruibarbo já deve estar cozido. Desligue o fogo e deixe descansar, tampado, para engrossar.

SALADA DE ERVAS Pique os tomates e os talos de salsão restantes e passe para uma travessa. Polvilhe sal e pimenta, regue com azeite extravirgem e um pouco de vinagre balsâmico. Esprema o suco de ½ limão.

MEXILHÕES Mexa os mexilhões e veja se algum deles está aberto. Dê-lhe uma batidinha; se não fechar, jogue fora. Coloque os mexilhões na panela maior e despeje por cima toda a mistura de Bloody Mary que está na jarra. Tampe, sacuda a panela e aumente para fogo alto. Deixe os mexilhões abrirem com o vapor.

SALADA DE ERVAS Retire as folhas das ervas dos talos e junte à rúcula. Adicione mais uma esguichada de azeite extravirgem e de vinagre balsâmico e tempere com sal e pimenta. Leve à mesa para misturar no último minuto.

MEXILHÕES Dê uma olhada e sacuda firmemente a panela.

MIL-FOLHAS Sua massa folhada deve estar dourada e linda, então retire do forno e achate delicadamente a bolha que se formou no meio com uma espátula perfurada. Deixe esfriar por alguns minutos e transfira para uma tábua de servir ou travessa. Retire o pão do forno e leve à mesa.

MEXILHÕES Quando todos os mexilhões estiverem abertos, tire-os da panela com uma escumadeira e passe para uma travessa, deixando o líquido do cozimento fervendo em fogo alto para reduzir e engrossar. Se algum mexilhão ainda estiver fechado, jogue fora. Pique muito bem as folhas do topo do maço de salsa. Despeje o suco do cozimento bem quente sobre os mexilhões. Regue com azeite, espalhe a salsa picada e leve à mesa. Divida entre 4 tigelas e convide todos a molharem os pedaços de pão aquecido no molho dos mexilhões.

MIL-FOLHAS Quando estiverem prontos para a sobremesa, despeje a maior parte do *crème fraîche* e do *custard* sobre a massa. Distribua colheradas de ruibarbo e cubra com o restante do *crème fraîche* e do *custard*. Leve à mesa.

ROBALO COM PANCETTA

PURÊ DE BATATA-DOCE

VEGETAIS VERDES

SORVETE DE FRUTAS VERMELHAS DE 1 MINUTO

LIMONADA COM GENGIBRE

SERVE 4

PURÊ

700 g de batata-doce
2 limões
um maço pequeno de coentro fresco
2 colheres (sopa) de chutney de manga
molho de soja (shoyu)

VEGETAIS

1 pimenta vermelha fresca
1 dente de alho
molho de soja (shoyu)
1 limão
óleo de gergelim
250 g de aspargo
1 cabeça de brócolis ninja

ROBALO

8 fatias finas de *pancetta*
4 filés (150 g cada) de robalo, com
  pele, sem escamas e sem espinhos
1 colher (chá) de sementes de
  erva-doce
1 limão

TEMPEROS

azeite de oliva
azeite de oliva extravirgem
sal marinho e pimenta-do-reino

LIMONADA COM GENGIBRE

cubos de gelo
1 lata (330 ml) de limonada com gás
ramos de hortelã fresca
um pedaço de 2 cm de gengibre
  fresco
1 garrafa de água com gás

SORVETE DE FRUTAS VERMELHAS

1 pacote (500 g) de frutas vermelhas
  congeladas
150 g de mirtilo fresco
3-4 colheres (sopa) de mel
1 pote (500 g) de iogurte natural
ramos de hortelã fresca

PARA COMEÇAR Separe todos os ingredientes e utensílios que vai usar. Encha a chaleira de água e leve para ferver. Leve ao fogo médio uma panela grande com tampa e uma frigideira grande. Coloque 4 taças no freezer para a sobremesa. Instale o batedor de lâminas no processador de alimentos.

PURÊ Lave as batatas-doces, elimine os "olhos" e imperfeições da casca. Dê-lhes algumas espetadas com uma faca. Coloque numa tigela grande que possa ir ao micro-ondas, corte 1 limão ao meio e adicione. Cubra com uma camada dupla de filme plástico e cozinhe em potência alta por 12 minutos ou até ficarem bem cozidas.

VEGETAIS Tire as sementes da pimenta vermelha e corte-a em fatias bem finas. Coloque metade numa tigela grande de servir e reserve o resto. Esmague sobre a tigela 1 dente de alho com casca. Adicione 2 colheres (sopa) de molho de soja e 4-6 colheres (sopa) de azeite extravirgem. Esprema o suco de 1 limão e dê uma borrifada de óleo de gergelim. Misture, prove e acerte o sabor com mais molho de soja, se necessário. Apare a ponta dura do talo dos aspargos. Corte a cabeça de brócolis em quatro, na vertical, de alto a baixo.

ROBALO Coloque a *pancetta* na frigideira com um fio de azeite. Fique de olho e vire quando as fatias dourarem.

LIMONADA Encha uma jarra grande com gelo até a metade. Acrescente a limonada e os ramos de hortelã. Descasque o pedaço de gengibre, rale bem fino e adicione. Complete com água com gás, misture com uma colher de pau e leve à mesa.

ROBALO Passe a *pancetta* para um prato, deixando a gordura na frigideira. Coloque o peixe com a pele para baixo. Sacuda a frigideira e use uma espátula para apertar os filés por alguns segundos. Esmague 1 colher (chá) de sementes de erva-doce no pilão e polvilhe sobre os filés, junto com uma pitada de sal e pimenta. Rale fino por cima a casca de 1 limão, depois corte-o em quartos e reserve.

PURÊ Pique bem o coentro sobre uma tábua de madeira grande (reserve algumas folhas para decorar). Adicione o chutney de manga, uma borrifada de molho de soja, um fio de azeite extravirgem, o suco de ½ limão e a pimenta reservada. Pique tudo junto e misture ainda na tábua.

VEGETAIS Encha a panela grande com água fervente e adicione uma boa pitada de sal. Acrescente os brócolis e os aspargos, certificando-se de que fiquem completamente imersos. Tampe e aumente para fogo alto.

ROBALO Dê uma olhada no peixe. Se a pele estiver dourada e crocante, diminua o fogo – mas antes tenha a certeza de que a pele está mesmo crocante.

PURÊ Tire as batatas-doces do micro-ondas e verifique se estão bem cozidas. Use pegadores para espremer as metades do limão quente sobre as batatas-doces. Com cuidado, vire a tigela em cima da mistura de chutney de manga e use uma faca ou amassador para picar e esmagar tudo junto, inclusive a casca das batatas-doces. Tempere com sal e pimenta e adicione mais suco de limão, se quiser.

ROBALO Retire a frigideira do fogo e vire os filés para cozinhar delicadamente o outro lado. Volte a pôr a *pancetta* na frigideira para aquecer bem, depois sirva o peixe e a *pancetta* sobre o purê na tábua. Decore com o coentro reservado e arranje os gomos de limão em torno. Leve à mesa.

VEGETAIS Escorra os brócolis e os aspargos, passe para a tigela de servir com o tempero, misture e leve à mesa.

SORVETE DE FRUTAS VERMELHAS Tire as taças e as frutas congeladas do freezer. Divida os mirtilos frescos entre as taças. Coloque o mel, o iogurte e as folhas dos ramos de hortelã no processador de alimentos e bata. Adicione as frutas congeladas e volte a bater até misturar bem. Coloque colheradas do sorvete sobre os mirtilos frescos e sirva. Gostosura.

SALMÃO À MODA ASIÁTICA
SOPA DE MACARRÃO
SALADA DE BROTOS DE FEIJÃO
SOBREMESA DE LICHIA

SERVE 4

SALMÃO

um pedaço de 2 cm de gengibre
  fresco
2 dentes de alho
1 cebola roxa pequena
½ pimenta vermelha fresca
1 colher (sopa) de molho de soja
  (shoyu)
2 limões
4 filés de salmão (180 g cada), com a
  pele, sem escamas e sem espinhos
cinco-especiarias (veja página 128)

SALADA

um maço grande de coentro fresco
400 g de brotos de feijão
100 g de castanha de caju

mel, para regar
½ pimenta vermelha fresca
1 manga pequena madura
molho de soja (shoyu)
óleo de gergelim
1 limão

SOPA

4 cebolinhas verdes
1-2 pimentas vermelhas frescas
2 dentes de alho
um pedaço de 2 cm de gengibre
  fresco
1 colher (chá) de cinco-especiarias
3 colheres (chá) de amido de milho
1 cubo de caldo de galinha orgânico
200 g de ervilha-torta

molho de soja (shoyu) a gosto
200 g de *noodles* com ovos,
  secos e finos

TEMPEROS

azeite de oliva
azeite de oliva extravirgem
sal marinho e pimenta-do-reino

SOBREMESA DE LICHIA

125 g de mirtilo fresco
1 lata (425 g) de lichia em calda
2 pacotes de biscoito de gergelim
500 ml de sorvete de baunilha
um ramo de hortelã fresca

PARA COMEÇAR Reúna todos os ingredientes e utensílios que vai usar. Encha a chaleira de água e leve ao fogo para ferver. Ligue o forno a 250°C.

SALMÃO Descasque um pedaço de 2 cm de gengibre fresco, 2 dentes de alho e 1 cebola roxa pequena. Pique grosseiramente e coloque no liquidificador. Junte ½ pimenta vermelha fresca e 1 colher (sopa) de molho de soja. Esprema o suco de 2 limões e bata para obter uma pasta. Prove para verificar o equilíbrio de doce e salgado, depois coloque num prato de cerâmica ou forma pequena onde os filés ficarão bem juntos. Adicione algumas esguichadas de azeite e arranje o salmão com a pele para cima. Salpique um pouco de pimenta e do pó de cinco-especiarias nos filés e coloque na prateleira superior do forno. Asse por 18 minutos ou até ficarem bem cozidos.

SALADA Reserve alguns ramos de coentro para decorar, tire as folhas dos talos e coloque numa tigela grande. Fatie muito bem os talos, acrescente à tigela junto com os brotos de feijão e deixe descansar. Leve uma frigideira grande ao fogo baixo.

SOPA Leve uma panela grande ao fogo médio. Apare e fatie 4 cebolinhas verdes e coloque na panela com azeite. Fatie finamente 1-2 pimentas vermelhas e adicione. Esmague por cima 2 dentes de alho com casca. Descasque e rale o gengibre e acrescente à panela. Misture bem.

SALADA Embrulhe as castanhas de caju num pano de prato limpo e esmague com o rolo de massa. Passe para a frigideira vazia. Adicione um pouco de azeite, mexa e deixe torrar. Mexa de vez em quando até dourar.

SOPA Junte 1 colher (chá) de cinco-especiarias e 3 colheres (chá) de amido de milho à panela com a cebolinha. Despeje 900 ml de caldo de galinha e acrescente 200 g de ervilha-torta. Aumente para fogo alto e espere ferver.

Prove e, se necessário, corrija o tempero com molho de soja. Adicione o macarrão e tampe.

SALADA Dê uma olhada nas castanhas de caju. A essa altura, elas devem estar douradas, por isso tire a frigideira do fogo, adicione um bom fio de mel, mexa e reserve.

SOBREMESA DE LICHIA Vire a tábua de cortar para usar o outro lado. Corte um pequeno punhado de mirtilos ao meio e coloque em uma travessa de servir, junto com os frutos inteiros. Despeje as lichias e um pouco da calda sobre os mirtilos. Misture e leve à mesa.

SALADA Fatie bem fino ½ pimenta vermelha. Descasque a manga com o cortador de legumes e corte a polpa em cubos (🔲). Acrescente à salada com a pimenta picada. Distribua por cima as castanhas de caju caramelizadas. Tempere com molho de soja, azeite extravirgem, óleo de gergelim e o suco de 1 limão. Misture com as mãos (tome cuidado se as castanhas ainda estiverem quentes).

SOBREMESA DE LICHIA Embrulhe os pacotes de biscoito de gergelim num pano de prato e bata contra a superfície de trabalho até virarem pó. Passe para uma tigela pequena e leve à mesa, junto com o sorvete.

PARA SERVIR Leve à mesa a sopa e a salada. Retire o salmão do forno, espalhe por cima o restante do coentro e leve à mesa. Use um pegador para dividir o macarrão entre as tigelas. Coloque um pedaço de salmão em cada uma e algumas colheradas do delicioso molho que ficou na assadeira.

SOBREMESA DE LICHIA Quando chegar a hora, monte a sobremesa, distribuindo as frutas e bolas de sorvete nas 4 taças. Regue com os sucos que ficaram na travessa, salpique um pouco do biscoito esfarelado e decore com algumas folhas de hortelã.

SALMÃO CROCANTE

ARROZ INCREMENTADO

SALADA DE ABOBRINHA

GUACAMOLE DESLUMBRANTE

SPRITZER DE FRUTAS VERMELHAS

SERVE 6

SALMÃO
2 pimentões vermelhos ou amarelos
um maço de cebolinha verde
2 pimentas vermelhas frescas
1 kg de filé de salmão, com pele, sem escamas e sem espinhos
1 limão
sementes de erva-doce

ARROZ
1 caneca de arroz basmati
225 g de pimentão vermelho em conserva
ramos de manjericão fresco
vinagre balsâmico

SALADA
1 limão
2 ramos de hortelã fresca
½ pimenta vermelha fresca
400 g de miniabobrinha

GUACAMOLE
4 cebolinhas verdes
um maço pequeno de coentro fresco
1 pimenta vermelha fresca
1 dente de alho
2 limões
2-3 abacates pequenos maduros
um punhado de tomate-cereja

TEMPEROS
azeite de oliva
azeite de oliva extravirgem
sal marinho e pimenta-do-reino

GUARNIÇÕES
1 pacote de tortilhas
150 ml de creme de leite azedo

SPRITZER
1 caixa grande de mirtilo, amora ou morango
cubos de gelo
alguns ramos de hortelã fresca
uma garrafa de água com gás

PARA COMEÇAR Pegue todos os ingredientes e utensílios que irá usar. Encha a chaleira de água e leve para ferver. Ligue o grill no máximo. Coloque uma panela em fogo médio. Instale o batedor de lâminas no processador de alimentos.

SALMÃO Despeje 2 esguichadas de azeite numa assadeira grande. Corte os pimentões ao meio e tire as sementes. Fatie a cebolinha verde e o pimentão em pedaços de 2 cm. Pique grosseiramente as 2 pimentas vermelhas. Despeje um fio de azeite nos dois lados do salmão, tempere com sal e pimenta e rale casca de limão por cima. Esfregue esses temperos no peixe e lave as mãos. Se necessário, corte os filés ao meio para acomodar melhor na assadeira, deixe a pele para cima e arranje os vegetais picados em volta. Coloque na prateleira do meio do forno, sob o grill, e acerte o timer para 14 minutos.

ARROZ Coloque o arroz numa panela média, adicione uma pitada de sal e cubra com água fervente até ultrapassar 1,5 cm da superfície do arroz. Tampe, aumente o fogo e deixe cozinhar por 7 minutos. Depois, desligue o fogo e deixe tampado por mais 7 minutos para cozinhar no vapor.

SALADA Esprema o suco de ½ limão numa tigela grande de servir. Adicione umas esguichadas de azeite extravirgem e uma boa pitada de sal e pimenta. Pique muito bem as folhas de hortelã e ½ pimenta vermelha e acrescente. Corte as miniabobrinhas em fatias finas com o descascador de legumes e junte ao tempero. Se sobrarem fatias, deixe na tábua para misturar com o arroz. Leve a tigela de salada à mesa, mas não misture até a hora de servir.

ARROZ Pique grosseiramente os pimentões em conserva e as folhas de manjericão e misture com o que sobrou da abobrinha na tábua. Tempere com uma pitada de sal e pimenta, uma boa esguichada de azeite extravirgem e uma borrifada de vinagre balsâmico.

SPRITZER Bata as frutas no processador de alimentos

até obter um purê. Encha uma jarra grande até a metade com gelo e adicione algumas folhas de hortelã rasgadas. Coloque uma peneira na jarra e passe o purê, ajudando com as costas de uma colher. Descarte o que sobrar na peneira. Complete a jarra com água com gás, mexa e leve à mesa. Enxágue rapidamente o processador.

SALMÃO Passados os 14 minutos, tire a assadeira do forno. Com uma faca e as mãos, solte cuidadosamente a pele dos filés e empurre para o lado. Adicione uma pitada de sal e sementes de erva-doce a gosto. Vire o pimentão, devolva a assadeira ao grill e asse por mais 5 minutos ou até a pele ficar bem crocante.

GUACAMOLE Apare as cebolinhas verdes e coloque-as no processador. Junte a maior parte do coentro, 1 pimenta vermelha (sem o talo), 1 dente de alho descascado, o suco de 1 limão e um bom fio de azeite extravirgem. Deixe batendo enquanto você tira o caroço dos abacates e corta os tomatinhos em quatro. Desligue e acrescente a polpa do abacate e o tomate picado. Pulse ligeiramente, deixando a mistura com pedaços. Passe para uma tigela e tempere com sal e pimenta. Leve à mesa com gomos de limão para cada um acrescentar mais suco a gosto.

ARROZ Afofe o arroz com um garfo e vire a panela sobre a tábua com os vegetais picados. Misture delicadamente e leve à mesa. Coloque uma chapa sobre fogo alto.

SALMÃO Com um pegador, puxe a pele de volta ao lugar. Tempere com sal e pimenta e asse por mais 5 minutos.

GUARNIÇÕES Aqueça as tortilhas na chapa, uma a uma, por alguns segundos de cada lado. (Ou então faça uma pilha e leve ao micro-ondas por 10-15 segundos.) Coloque o creme azedo numa tigela, despeje um pouquinho de azeite extravirgem por cima e leve à mesa.

PARA SERVIR Leve o salmão à mesa ainda na assadeira e sirva com a salada, o guacamole, o arroz e as tortilhas.

ROSBIFE
BOLINHOS
MINICENOURAS
BATATAS CROCANTES
MOLHO SUPER-RÁPIDO

SERVE 4

BATATAS
500 g de batata rosada
1 limão
4 ramos de tomilho ou alecrim frescos
1 cabeça de alho

ROSBIFE
8 ramos de cada uma das ervas
 frescas: alecrim, sálvia e tomilho
700 g de filé-mignon

CENOURAS
500 g de minicenoura
2 ramos de tomilho fresco
2 folhas de louro
1 colher (sopa) bem cheia de açúcar
uma bolota de manteiga

BOLINHOS
1 caneca quase cheia de farinha
 de trigo
1 caneca de leite
1 ovo

SALADA DE AGRIÃO
½ cebola roxa
2 colheres (sopa) de vinagre de vinho
 tinto
1 colher (sopa) de açúcar
1 embalagem (100 g) de agrião
 pré-lavado

MOLHO
½ cebola roxa
12 minicogumelos-de-paris
1 colher (sopa) bem cheia de farinha
 de trigo
1 taça pequena de vinho tinto
300 ml de caldo de galinha orgânico

TEMPEROS
azeite de oliva
azeite de oliva extravirgem
sal marinho e pimenta-do-reino

PARA SERVIR
molho de raiz-forte
mostarda inglesa
uma garrafa de vinho tinto

PARA COMEÇAR Reúna todos os ingredientes e utensílios que irá usar. Encha a chaleira de água e leve ao fogo. Ligue o forno a 220°C. Coloque uma assadeira para *muffins* com 12 cavidades na prateleira de cima do forno. Coloque uma panela grande e 2 frigideiras grandes em fogo médio. Instale o disco de fatiar fino no processador de alimentos.

BATATAS Lave as batatas e deixe-as com casca. Pique em pedaços de 2 cm e coloque em uma das frigideiras. Cubra com água fervente, tempere com sal e tampe. Aumente o fogo ao máximo e ferva por 8 minutos ou até amaciar por completo. Volte a encher a chaleira e leve ao fogo.

ROSBIFE Pegue as folhas de alecrim, sálvia e tomilho e pique grosseiramente. Aumente o fogo da segunda frigideira até ela ficar pelando. Misture as ervas com uma boa pitada de sal e pimenta e espalhe na tábua. Corte o filé ao meio e, em seguida, role as duas metades para a frente e para trás, para ficarem completamente recobertas pelas ervas. Coloque a carne na frigideira quentíssima com algumas esguichadas de azeite. Vá virando a cada minuto, enquanto cuida de outras coisas. Não se esqueça de selar também as extremidades.

CENOURAS Coloque as minicenouras na panela e despeje água quente só até cobrir. Adicione 2 ramos de tomilho, 2 folhas de louro, uma boa pitada de sal, uma esguichada de azeite e 1 colher (sopa) cheia de açúcar. Tampe e deixe cozinhar até amolecerem.

BOLINHOS Coloque no liquidificador a farinha, o leite, o ovo e uma pitada de sal e bata. Com rapidez e segurança, tire a assadeira de *muffins* do forno e feche a porta. Com um movimento rápido de vaivém, pingue um pouco de azeite em cada cavidade, depois faça o mesmo com a massa até preencher a metade de cada uma (qualquer quantidade de massa que sobrar pode ser usada para fazer panquecas em outra ocasião). Coloque na prateleira mais alta do forno, feche e não abra por 14 minutos, até crescerem e dourarem.

BATATAS Verifique se a batata está bem cozida, depois escorra e devolva à mesma frigideira. Deixe em fogo alto. Adicione um fio de azeite, uma pitada de sal e pimenta, tirinhas da casca do limão e 4 ramos de tomilho ou alecrim. Corte a cabeça de alho ao meio na horizontal, esmague as metades com as costas de uma colher e coloque na frigideira. Misture tudo e amasse grosseiramente com o amassador de batata. Mexa a cada 3 minutos, até dourar.

MOLHO Reduza um pouco o fogo sob a frigideira da carne. Descasque 1 cebola roxa e fatie bem fino no processador. Acrescente metade dessa cebola à panela da carne com uma esguichada de azeite e reserve o restante numa saladeira. Enxágue os cogumelos num escorredor, fatie no processador e passe para a frigideira. Misture tudo e continue virando os filés a cada 5 minutos.

SALADA DE AGRIÃO Adicione à saladeira com a cebola 2 colheres (sopa) de vinagre de vinho tinto, 1 colher (sopa) de açúcar e uma boa pitada de sal e pimenta. Esmague com a mão. Acrescente 4 colheres (sopa) de azeite extravirgem. Abra a embalagem do agrião e deixe cair por cima. Leve à mesa, mas não misture até a hora de servir.

MOLHO Passe a carne para uma travessa, regue com um fio de azeite e cubra com papel-alumínio. Adicione à frigideira 1 colher (sopa) cheia de farinha e a taça de vinho tinto e aumente o fogo. Deixe ferver até a mistura quase secar, depois acrescente 300 ml de caldo de galinha. Cozinhe em fogo brando até o molho ficar espesso e brilhante.

PARA SERVIR Escorra as minicenouras, devolva à panela, misture com a manteiga e leve à mesa. Transfira a batata para uma travessa. Misture em outra travessa 2 colheradas de molho de raiz-forte e 1 colher (chá) de mostarda inglesa. Corte a carne em fatias de 1 cm com movimentos longos. Polvilhe sal e pimenta, depois coloque as fatias de carne sobre a mistura de raiz-forte e mostarda. Adicione os sucos da carne ao molho e sirva numa jarrinha. Mexa rapidamente a salada para temperar, tire os bolinhos do forno e comece a devorar com um copo de vinho.

STEAK SARNIE

BATATAS NOVAS

COGUMELOS AO QUEIJO

SALADA DE BETERRABA

SERVE 4

BATATAS

500 g de minibatatas novas
6 dentes de alho
alguns ramos de alecrim fresco
½ limão

COGUMELOS

4 cogumelos *portobello* grandes
 (aprox. 250 g no total)
2 dentes de alho
½ pimenta vermelha fresca
2 ramos de salsa fresca
½ limão
70 g de queijo *cheddar* curado

SALADA DE BETERRABA

1 pacote (250 g) de beterraba cozida
 embalada a vácuo
vinagre balsâmico
½ limão
um maço de salsa fresca
50 g de queijo *feta*

STEAK SARNIE

2 bifes (300 g cada) de alcatra da
 melhor qualidade
2 ramos de tomilho fresco
1 pão *ciabatta*
um punhado de pimentão em
 conserva

2 ramos de salsa fresca
molho de raiz-forte, para servir
um bom punhado de rúcula
 pré-lavada, para servir

TEMPEROS

azeite de oliva
azeite de oliva extravirgem
sal marinho e pimenta-do-reino

PARA COMEÇAR Separe todos os ingredientes e utensílios que vai usar. Coloque uma chapa de ferro em fogo médio e uma frigideira grande em fogo alto. Ligue o grill no máximo. Encha a chaleira de água e leve para ferver. Instale o disco de ralar grosso no processador de alimentos.

BATATAS Corte as batatas maiores ao meio, depois coloque-as na frigideira quente com uma boa pitada de sal. Esmague rapidamente com a mão 6 dentes de alho com casca e adicione. Despeje água fervente para cobrir e cozinhe por 12-15 minutos ou até ficarem bem cozidas.

COGUMELOS Coloque os 4 cogumelos na tábua de cortar com o talo para cima. Apare os talos e arrume os cogumelos numa travessa de cerâmica. Esmague ½ dente de alho com casca sobre cada cogumelo. Pique muito bem ½ pimenta vermelha e 2 ramos de salsa e divida entre os cogumelos. Rale por cima a casca de ½ limão, regue com um bom fio de azeite e tempere com sal e pimenta a gosto. Corte o queijo *cheddar* em 4 pedaços e coloque um sobre cada cogumelo.

SALADA DE BETERRABA Rale a beterraba no processador. Remova o disco ralador e despeje algumas borrifadas de vinagre balsâmico e umas esguichadas de azeite extravirgem. Esprema o suco de ½ limão. Pique a salsa e coloque a maior parte no processador. Mexa para temperar e passe para uma travessa de servir. Espalhe por cima a salsa restante e esmigalhe o queijo *feta*. Regue com um fio de azeite extravirgem e leve à mesa.

COGUMELOS Coloque na prateleira superior do forno, sob o grill, por 9-10 minutos ou até dourarem.

STEAK SARNIE Coloque os bifes numa tábua. Polvilhe sal e pimenta, espalhe as folhas do tomilho e regue com um fio de azeite. Esfregue os temperos na carne, vire e repita do outro lado. Bata os bifes com o punho uma ou duas vezes para achatá-los e coloque na chapa, que deve estar grilando de tão quente. Frite por 1-2 minutos de cada lado para carne ao ponto, ou mais tempo, dependendo do seu gosto. Naturalmente, o ponto depende da espessura dos bifes, portanto use seu instinto. Lave as mãos.

BATATAS Verifique se estão bem cozidas e escorra. Devolva a frigideira ao fogo alto, adicione uma boa esguichada de azeite e coloque as batatas e o alho. Use um amassador de batata para só quebrar as cascas (não esmague demais). Junte alguns ramos de alecrim e uma pitada de sal. Vire a cada 2-3 minutos até ficarem douradas e crocantes.

STEAK SARNIE Coloque a *ciabatta* no fundo do forno. Pique bem fino os pimentões sobre uma tábua grande. Transfira os bifes para a tábua e regue com um fio de azeite extravirgem. Pique algumas folhas de salsa, misturando-as com o pimentão picado e todos os sucos da carne. Arraste a mistura para um lado e corte os bifes em tiras na diagonal.

COGUMELOS Retire a travessa do grill e desligue. Leve diretamente à mesa.

STEAK SARNIE Tire a *ciabatta* do forno e corte-a ao meio na horizontal com uma faca serrilhada. Despeje um fio de azeite extravirgem sobre o lado de dentro das duas partes. Espalhe molho de raiz-forte a gosto e, depois, arrume a rúcula sobre uma das metades. Coloque as tiras de carne sobre a rúcula. Misture o pimentão com os sucos que estão na tábua e espalhe sobre a carne. Feche o pão e leve rapidamente à mesa.

BATATAS Passe as batatas para uma travessa e deixe ½ limão ao lado para espremer por cima. Leve à mesa.

CONTRAFILÉ NA CHAPA

MACARRÃO DAN DAN

CHÁ DE HIBISCO GELADO

SERVE 4

CONTRAFILÉ

2 bifes de 250 g de contrafilé da
  melhor qualidade
1 colher (chá) cheia de pimenta-de-
  -sichuan
cinco-especiarias (veja página 128)
um pedaço de 2 cm de gengibre
  fresco
½ pimenta vermelha em conserva
1 dente de alho
1 limão
alguns ramos de coentro fresco

VERDURAS

150 g de ervilha-torta
2 *pak choi* (couve-chinesa)
200 g de brócolis

1 colher (sopa) cheia de molho de
  feijão-preto (N. do T. – Típico da
  culinária chinesa, pode ser
  encontrado em lojas de produtos
  orientais.)
1 limão

MACARRÃO DAN DAN

6 colheres (sopa) de óleo da pimenta
  vermelha em conserva
4 colheres (sopa) de molho de soja
  (shoyu)
1 dente de alho
200 g de brotos de feijão
½ maço de coentro fresco
8 cebolinhas verdes
400 g de *noodles* com ovos seco
  médio (1 ninho por pessoa)

1 cubo de caldo de carne orgânico
½ limão
mel
uma espremida de suco de limão

TEMPEROS

azeite de oliva
azeite de oliva extravirgem
sal marinho e pimenta-do-reino

CHÁ DE HIBISCO

2-3 saquinhos de chá de hibisco,
  hortelã ou jasmim
1 tangerina
1 limão
1 colher (sobremesa) bem cheia de
  açúcar
alguns punhados de cubos de gelo
ramos de hortelã fresca

PARA COMEÇAR Separe todos os ingredientes e utensílios que irá usar. Encha a chaleira de água e leve para ferver. Coloque uma chapa em fogo alto e uma panela grande em fogo baixo. Separe 4 tigelas de servir.

CONTRAFILÉ Coloque a carne numa tábua de madeira e polvilhe sal e pimenta sobre a carne e a tábua. Bata a pimenta-de-sichuan no pilão. Distribua uma pitadinha em cada tigela e salpique o restante sobre a carne, junto com uma boa pitada de cinco-especiarias. Despeje um fio de azeite sobre a carne e a tábua, depois esfregue a carne por toda a tábua para pegar bem o sabor dos temperos.

MACARRÃO Despeje a água fervente na panela grande. Aumente para fogo alto e tampe. Volte a encher a chaleira e leve para ferver. Despeje 1½ colher (sopa) de óleo da pimenta vermelha e 1 colher (sopa) de molho de soja em cada tigela. Esmague 1 dente de alho com casca e divida a polpa entre as 4 tigelas.

CHÁ DE HIBISCO Coloque os saquinhos de chá numa jarra. Com um descascador de legumes, corte tiras da casca da tangerina e do limão e junte à jarra, com o açúcar. Encha até a metade com água fervente e deixe em infusão.

CONTRAFILÉ Coloque a carne na chapa superaquecida para cozinhar por 2 minutos de cada lado. A carne estará, então, ao ponto. Se preferir, deixe mais tempo. Vire os bifes com um pegador.

MACARRÃO Apronte as guarnições. Coloque os brotos de feijão e o coentro numa tigela de servir e leve à mesa.

VERDURAS Tempere a água fervente com sal e coloque a ervilha-torta. Vire a tábua em que temperou a carne e corte a *pak choi* ao meio. Apare a ponta dos talos de brócolis. Acrescente à panela a *pak choi* e os brócolis e tampe.

MACARRÃO Apare as cebolinhas verdes e corte em fatias muito finas. Divida entre as tigelas de servir. (Não se esqueça dos bifes – eles devem estar perfeitos agora.)

CONTRAFILÉ Pegue uma tábua de cortar limpa, besunte com azeite e coloque os bifes sobre ela. Tire a chapa do fogo. Descasque o gengibre e rale bem fino sobre a carne, junto com a pimenta vermelha e o alho. Esprema o limão.

VERDURAS Coloque 1 colher (sopa) cheia de molho de feijão-preto em uma travessa e espalhe. Esprema o limão e adicione uma esguichada de azeite. Com um pegador ou espátula furada, retire as verduras da panela, sacudindo bem para escorrer o excesso de água, e passe para a travessa com o tempero. Regue com azeite extravirgem e leve à mesa. Deixe para mexer no último minuto.

CHÁ DE HIBISCO Retire os saquinhos de chá. Acrescente à jarra punhados de gelo, depois corte ao meio a tangerina e o limão e esprema todo o suco. Adicione as duas metades do limão e os ramos de hortelã.

MACARRÃO Coloque o macarrão e 1 cubo de caldo na água em que cozinhou as verduras. Adicione a cada tigelinha algumas gotas de suco de limão e um dedo de mel.

CONTRAFILÉ Corte os bifes em tiras de 1 cm de espessura e mexa-as, para captarem os sucos saborosos da tábua. Rasgue o coentro por cima e leve à mesa.

MACARRÃO Com um pegador, divida o macarrão entre as tigelas. Coloque um pouco de caldo por cima e leve as tigelas à mesa. Instrua seus convidados para mexer o macarrão e depois montar suas tigelas adicionando um pouco de brotos de feijão, algumas folhas de coentro, verduras e tiras de carne. Esprema o limão por cima.

CARNE MOÍDA RÁPIDA
BATATA ASSADA
SALADA DEUSA
LINDO FEIJÃO-BRANCO COM BACON

SERVE 4

BATATAS

4 batatas grandes de assar
2 ramos de alecrim fresco
4 colheres (chá) de creme de leite
  azedo

CARNE MOÍDA

500 g de carne moída de boa qualidade
2 ramos de tomilho fresco
1 cebola roxa
2 cenouras
3 talos de salsão
alguns ramos de alecrim fresco

4 dentes de alho
6 colheres (sopa) de molho inglês
um maço pequeno de salsa fresca

FEIJÃO-BRANCO

4 fatias de bacon defumado
2 tomates
1 lata (400 g) de feijão-branco
  cozido em conserva
vinagre de vinho tinto
2-3 ramos de manjericão fresco
  (só as folhas, picadas)

SALADA

1 pé de alface lisa
um punhado de agrião pré-lavado
1 abacate
1 colher (sopa) bem cheia de creme
  de leite azedo
1 limão

TEMPEROS

azeite de oliva
azeite de oliva extravirgem
sal marinho e pimenta-do-reino

PARA COMEÇAR Reúna todos os ingredientes e utensílios que irá usar. Ligue o grill no máximo e coloque uma assadeira sob ele para aquecer. Leve uma frigideira grande ao fogo médio-alto e outra menor ao fogo baixo. Instale o disco de fatiar fino no processador de alimentos.

BATATAS Lave as batatas, elimine os "olhos", espete algumas vezes com uma faca e acomode numa tigela que possa ir ao micro-ondas. Cubra com uma camada dupla de filme plástico. Leve ao micro-ondas por 14-16 minutos em potência alta ou até ficarem cozidas.

CARNE MOÍDA Coloque a carne moída na frigideira maior e amasse com uma colher de pau para ficar soltinha. Adicione 1 colher (chá) de sal, 1 colher (chá) de pimenta, um pouco de azeite e as folhas de tomilho. Cozinhe até dourar, sempre mexendo.

FEIJÃO-BRANCO Despeje um pouco de azeite na frigideira que está em fogo baixo. Corte o bacon em tirinhas, adicione e deixe fritar. Sacuda a frigideira algumas vezes e retire do fogo assim que o bacon dourar.

CARNE MOÍDA Descasque a cebola e corte-a ao meio. Lave e apare as cenouras e o salsão. Fatie os três no processador e reserve. Quando a carne estiver dourada, acrescente as folhas de alecrim. Esmague por cima 4 dentes de alho com casca e junte 6 colheres (sopa) de molho inglês. Cozinhe até ficar com um brilho bonito, adicione as fatias de cebola, cenoura e salsão e mexa bem. Diminua o fogo para médio e lembre-se de mexer com frequência.

BATATAS Espete as batatas com a faca para verificar se estão cozidas. Pique finamente as folhas de alecrim e adicione à tigela com uma pitada de sal e pimenta e um fio de azeite. Mexa as batatas delicadamente para pegar os

temperos. Com um pegador, transfira-as para a assadeira quente e coloque debaixo do grill para ficarem crocantes.

FEIJÃO-BRANCO Agora leve a frigideira com bacon ao fogo alto. Pique grosseiramente os tomates e junte ao bacon. Despeje o feijão-branco e o líquido da conserva e cozinhe em fogo brando até secar.

SALADA Separe as folhas da alface, lave-as e seque na centrífuga. Passe para uma tigela de servir e junte o agrião. Corte o abacate ao meio e tire o caroço. Com uma colher, retire algumas lascas da polpa e coloque na tigela. Bata o creme azedo no liquidificador com o restante da polpa de abacate, o suco de 1 limão, 4 colheres (sopa) de azeite extravirgem e uma pitada de sal e pimenta. Se ficar muito espesso, adicione água aos pouquinhos até obter um molho cremoso.

CARNE MOÍDA Pique bem a salsa. Coloque a maior parte na frigideira com a carne, reservando algumas folhas. Prove e corrija o tempero, se necessário, depois transfira para uma travessa grande de servir.

BATATAS Retire as batatas do grill. Com uma faca, faça uma cruz sobre elas e aperte para abrir. Passe para uma travessa, coloque 1 colher (chá) de creme azedo dentro de cada uma e espalhe por cima a salsa restante. Leve à mesa e sirva com a carne moída.

FEIJÃO-BRANCO Adicione ao feijão um pouco de azeite extravirgem, uma boa esguichada de vinagre e tempere com sal e pimenta. Salpique por cima as folhas de manjericão. Leve à mesa.

SALADA Misture com o molho e bom apetite!

BIFE À MODA INDIANA

SALADA DE ESPINAFRE

& QUEIJO PANIR

DIP DE IOGURTE

SOBREMESA DE MANGA

SERVE 4

BIFES

¼ de um vidro (de 283 g) de pasta *jalfrezi* (N. do T. – Uma das misturas tradicionais de curry.)
½ limão
3 bifes (300 g cada) de alcatra da melhor qualidade
alguns ramos de coentro fresco

DIP DE IOGURTE

250 g de iogurte natural
alguns ramos de hortelã fresca
½ limão

PÃO

2 pães *naan* (N. do T. – Tipo de pão indiano de farinha de trigo, chato mas fermentado.)

SALADA DE ESPINAFRE & QUEIJO PANIR

200 g de espinafre pré-lavado
um maço pequeno de coentro fresco
1 embalagem de brotos de alfafa
1 embalagem de agrião
1 cenoura grande
200 g de queijo *panir* (N. do T. – Tipo de queijo fresco indiano.)
3 colheres (sopa) de sementes de gergelim
1 limão

MOLHO DE CURRY

¼ de um vidro (de 283 g) de pasta *jalfrezi*
1 vidro (200 ml) de leite de coco

TEMPEROS

azeite de oliva
azeite de oliva extravirgem
sal marinho e pimenta-do-reino

SOBREMESA DE MANGA

2 mangas maduras
1 colher (chá) bem cheia de açúcar de confeiteiro
alguns ramos de hortelã fresca
1 limão

PARA COMEÇAR Reúna os ingredientes e utensílios que vai usar. Coloque uma chapa para aquecer em fogo alto. Ligue o forno a 180°C.

BIFES Numa tigela grande e rasa, misture ¼ do vidro de pasta *jalfrezi*, o suco de ½ limão, umas esguichadas de azeite e uma boa pitada de sal e pimenta. Coloque os bifes na tigela e esfregue esses temperos, reserve e lave as mãos.

DIP DE IOGURTE Despeje o iogurte em um prato. Fatie bem fino as pontas dos ramos de hortelã e acrescente ao iogurte. Adicione um fio de azeite extravirgem, o suco de ½ limão e uma boa pitada de sal. Leve à mesa, mas só misture na hora de servir.

SALADA Coloque o espinafre em uma travessa. Rasgue e espalhe por cima a maior parte das folhas de coentro, depois os brotos de alfafa e o agrião cortado com tesoura. Com um descascador de legumes, corte a cenoura em tiras sobre o agrião.

PÃO Amasse um pedaço grande de papel-manteiga sob a torneira, depois estenda, regue com um fio de azeite e embrulhe os pães *naan*. Leve ao forno para aquecer.

BIFES Use um pegador para transferir os bifes para a chapa que está pelando. Cozinhe por 6 minutos, virando a cada minuto, para malpassados, cerca de 8 minutos para bifes ao ponto e 10 minutos para bem passados. Você sabe como gosta do seu bife, por isso siga sua intuição. Quando estiver pronto, passe para uma tábua de madeira. Coloque uma frigideira pequena em fogo médio.

MOLHO DE CURRY Leve uma panela pequena ao fogo médio. Adicione ¼ do vidro de pasta *jalfrezi* e o leite de coco, mexa bem e deixe ferver até engrossar e borbulhar.

SALADA Corte o *panir* em bocados. Coloque na frigideira quente com uma esguichada de azeite. Verifique os bifes.

MOLHO DE CURRY Quando o molho reduzir e ganhar consistência, diminua para fogo brando ou desligue. Olhe os bifes novamente.

SALADA Vire o *panir* – que deve estar dourado embaixo. Adicione uma boa pitada de sal e 3 colheres (sopa) de sementes de gergelim. Se estiver fritando muito rápido, diminua o fogo.

SOBREMESA DE MANGA Corte as mangas na vertical nos dois lados do caroço. Pegue cada metade e faça cortes em grade a cada 2 cm, até chegar à casca. Vire a polpa para fora de forma que os cubos de manga se abram. Corte a polpa que restou no caroço, pique em pedaços e coma. Você merece (⌣)!

Arranje as metades de manga sobre uma tábua e peneire 1 colher (chá) bem cheia de açúcar de confeiteiro. Pique muito bem algumas folhas de hortelã e salpique por cima. Corte o limão em gomos e disponha ao lado. Leve à mesa.

BIFES Se ainda não o fez, passe os bifes para uma tábua para descansar e regue com um fio de azeite extravirgem.

SALADA Arranje os bocados de queijo em torno da salada e corte o limão em gomos para espremer. Leve à mesa.

PARA SERVIR Fatie a carne em tiras. Misture-as com os sucos que estão na tábua e espalhe as folhas de coentro. Despeje o molho de curry quente em uma tigela e leve à mesa, junto com os pães *naan* aquecidos e a carne fatiada.

SANDUÍCHE DE ALMÔNDEGAS

PICLES DE REPOLHO

SALADA PICADA

SORVETE DE BANANA

SERVE 4–6

SANDUÍCHE

um maço pequeno de manjericão
500 g de carne moída de boa qualidade
1 colher (sopa) de mostarda com
  sementes
½ limão
1 ovo
8 fatias de *pancetta* defumada
2 pães *ciabatta*
4 fatias de queijo Jarlsberg (N. do T. –
  Queijo semiduro da Noruega.)

REPOLHO

½ repolho roxo pequeno
1 cebola roxa
um maço pequeno de hortelã fresca
1 pimenta vermelha fresca
2 limões

SALADA PICADA

½ pepino
2 tomates
2 abacates
um punhado de folhas de manjericão
  fresco
1 embalagem (100 g) de verduras
  mistas pré-lavadas
1 colher (chá) de mostarda inglesa
1½ colher (sopa) de vinagre
  de vinho tinto
50 g de queijo *feta*

TEMPEROS

azeite de oliva
azeite de oliva extravirgem
sal marinho e pimenta-do-reino

SORVETE

6 bananas (aprox. 900 g)
  descascadas, cortadas em fatias e
  colocadas no freezer em
  saquinhos plásticos pelo menos
  6 horas antes de servir
250 g de iogurte natural desnatado
1 colher (sopa) de mel
2-3 punhados de coco ralado seco,
  para cobertura
8 biscoitos doces crocantes

PARA SERVIR

cerveja gelada

NOTA: É essencial que a banana esteja gelada. Descasque, corte em fatias e embale em sacos plásticos para sanduíche. Coloque no freezer com 6 horas de antecedência, no mínimo.

PARA COMEÇAR Reúna todos os ingredientes e utensílios que irá usar. Ligue o forno a 160°C. Tire a banana do freezer. Coloque uma frigideira grande, que possa ir ao forno, em fogo médio. Instale o disco de fatiar fino no processador de alimentos. Pegue 4 copos para a sobremesa e verifique se há espaço para eles no freezer.

SANDUÍCHE Pique grosseiramente o manjericão e coloque numa tigela grande com a carne moída, a mostarda com sementes, uma pitada de sal e pimenta e a casca ralada de ½ limão. Separe a clara (guarde para outro uso) e adicione a gema à tigela com 1 colher (sopa) de azeite. Adicione um fio de azeite à frigideira para aquecer. Com as mãos limpas, misture e aperte com gosto a carne moída. Em seguida, divida a mistura em 4 e divida cada porção em 4 novamente. Enrole rapidamente 16 almôndegas (ajuda estar com as mãos molhadas) e vá colocando na frigideira. Lave as mãos. Sacuda a frigideira, mexa e frite as almôndegas por 12-14 minutos ou até ficarem bem douradas.

REPOLHO Corte e descarte a base de ½ repolho, elimine as folhas externas e corte em 4 gomos. Coloque no processador para fatiar em tiras finas. Descasque a cebola roxa e corte ao meio, rasgue as folhinhas da ponta do maço de hortelã e coloque ambas no processador, junto com a pimenta vermelha (sem o talo).

SANDUÍCHE Arrume as fatias de *pancetta* na frigideira em torno das almôndegas e leve ao forno. Coloque os pães *ciabatta* na prateleira inferior.

REPOLHO Passe os vegetais picados para uma tigela grande e adicione uma boa esguichada de azeite extravirgem. Esprema o suco dos 2 limões e tempere com uma pitada de sal. Misture tudo muito bem.

SALADA PICADA Gosto de usar duas facas para picar os vegetais, mas faça o que for mais confortável para você. Pique grosseiramente ½ pepino e os tomates numa tábua de madeira bem grande. Corte os abacates ao meio e descarte o caroço. Tire a polpa com uma colher, junte à mistura de pepino e tomate e pique de novo. Acrescente as folhas de manjericão e continue picando. Coloque as verduras por cima, abra uma cova no meio das folhas e adicione 1 colher (chá) de mostarda inglesa, uma pitada de sal, 5 colheres (sopa) de azeite extravirgem e 1½ colher (sopa) de vinagre de vinho tinto. Pique e misture tudo de novo para temperar. Adicione mais azeite extravirgem, se necessário, e esfarele o queijo *feta* por cima.

SORVETE Lave rapidamente a jarra do processador com água fria e instale o batedor de lâminas. Bata a banana congelada com o iogurte e o mel até ficar espesso e cremoso. Coloque o coco ralado numa tigela grande, role sobre ele 1 colher (sobremesa) do sorvete de banana até ficar totalmente recoberto e arranje em um copo gelado. Repita com o sorvete restante. Quando tiver terminado, leve os 4 copos de volta ao freezer até a hora de servir.

SANDUÍCHE Retire as almôndegas e os pães do forno. Corte os pães quentes ao meio e regue o lado de dentro com um fio de azeite extravirgem. Coloque em cada pão 2 fatias de queijo Jarlsberg e um pouco de repolho. Distribua por cima as almôndegas e algumas fatias de *pancetta* crocante.

PARA SERVIR Leve à mesa os sanduíches e a salada picada. Aperte os sanduíches e corte-os ao meio, depois só resta devorar. Na hora da sobremesa, pegue o sorvete de banana do freezer e coma com um biscoito doce crocante.

FÍGADO COM BACON

MOLHO DE CEBOLA

BATATA AMASSADA

VERDURA COZIDA

RIPPLE DE FRUTAS E CREME

SERVE 4

226

BATATA AMASSADA
500 g de batata rosada
1 limão

MOLHO
2 cebolas roxas
alguns ramos de alecrim fresco
1 colher (chá) de mel
2 dentes de alho
1 colher (sopa) cheia de farinha
  de trigo
1 taça de vinho tinto
3 colheres (sopa) de vinagre
  balsâmico
1 cubo de caldo de carne orgânico

FÍGADO
8 fatias de bacon defumado
4 bifes (300 g no total) de fígado de
  vitela
farinha de trigo
4 ramos de alecrim fresco

VERDURA COZIDA
200 g de acelga (ou outra verdura)
½ limão

TEMPEROS
azeite de oliva
azeite de oliva extravirgem
sal marinho e pimenta-do-reino

SOBREMESA
1 lata (350 g) de pêssego ou pera
  em calda
150 g de amora, mirtilo ou framboesa
3-4 colheres (sopa) de cordial de flor
  de sabugueiro (veja página 92)
1 pote (425 g) de *custard*
  (veja página 176)
150 g de iogurte natural firme
1 colher (chá) de essência de
  baunilha
biscoitos crocantes, para servir

PARA COMEÇAR Pegue todos os ingredientes e utensílios que irá usar. Encha a chaleira de água e leve para ferver. Coloque uma panela de cozimento a vapor de 3 andares e 2 frigideiras grandes em fogo médio. Instale o disco de fatiar fino no processador de alimentos.

BATATA Lave as batatas. Deixe a casca, mas tire os "olhos". Corte em pedaços de 3 cm. Encha a panela a vapor com água fervente, adicione a batata, uma pitada de sal e tampe.

SOBREMESA Despeje a calda da lata de fruta em uma panela grande sobre fogo alto e deixe ferver.

MOLHO Descasque as cebolas roxas, corte ao meio e fatie no processador. Coloque numa das frigideiras quentes com uma esguichada de azeite e mexa. Tire as folhas do alecrim e pique muito bem. Acrescente à frigideira com 1 colher (chá) de mel. Esmague 2 dentes de alho descascados. Mexa de vez em quando enquanto prepara os outros pratos.

FÍGADO Coloque o bacon na outra frigideira com um pouco de azeite. Vá virando até dourar dos dois lados, depois passe para um prato e tire a frigideira do fogo.

SOBREMESA Adicione as frutas vermelhas à panela e mexa de vez em quando até engrossar.

VERDURA Lave bem a acelga. Corte os talos em fatias finas e coloque na parte do meio da panela a vapor. Pique grosseiramente as folhas e coloque na parte mais alta. Empilhe as duas em cima da batata e tampe. Volte a encher a chaleira e ferver a água.

MOLHO Adicione 1 colher (sopa) cheia de farinha e a taça de vinho tinto à frigideira da cebola. Cozinhe até reduzir, acrescente 3 colheres (sopa) de vinagre balsâmico e mexa

novamente. Junte 1 cubo de caldo de carne e 300 ml de água fervente. Mexa bem e cozinhe em fogo brando até obter uma boa consistência.

SOBREMESA A essa altura, ela já deve estar com jeito de geleia. Desligue o fogo e acrescente 3-4 colheres (sopa) do cordial. Coloque colheradas de *custard* em torno da tigela e depois despeje no meio as frutas com a calda. Junte colheradas de iogurte, 1 colher (chá) de baunilha e incorpore. Leve à mesa acompanhada de biscoitos crocantes.

FÍGADO Leve de volta ao fogo a frigideira em que fritou o bacon. Coloque os bifes de fígado sobre papel-manteiga. Tempere com sal e pimenta e polvilhe ambos os lados com uma camada uniforme de farinha. Aumente o fogo, coloque uma esguichada de azeite na frigideira e adicione o fígado. Deixe fritar por 3 minutos. Não caia na tentação de virá-los.

BATATAS Verifique se a batata está bem cozida, escorra e amasse com uma boa quantidade de azeite extravirgem, uma pitada grande de sal e pimenta e um pouco de casca de limão ralada. Passe para uma travessa grande de servir.

FÍGADO Vire o fígado, adicione os ramos de alecrim e volte a pôr o bacon na frigideira. Frite por mais 2 minutos, depois coloque sobre a batata amassada e leve à mesa.

VERDURA Passe a acelga para uma travessa de servir, regue com um fio de azeite extravirgem e esprema por cima o suco de ½ limão. Adicione uma pitada de sal e pimenta e leve à mesa.

PARA SERVIR Passe o molho para uma jarrinha e leve à mesa. Agora vocês estão prontos para devorar.

FOCACCIA RECHEADA

PRESUNTO CRU

REMOULADE DE AIPO-RÁBANO

MUÇARELA COM PESTO

GRANITA DE LIMÃO

SERVE 4–6

FOCACCIA

1 *focaccia* de 400 g
1 vidro (450 g) de pimentão em
  conserva
1 colher (chá) de alcaparras escorridas
6 tomates secos em conserva de óleo
um punhado grande de azeitonas
  variadas marinadas
1 pimenta vermelha fresca
um punhado grande de tomate-cereja
3-4 pepinos em conserva
um maço pequeno de hortelã fresca
½ limão
queijo parmesão, para ralar

REMOULADE & PRESUNTO CRU

600 g de aipo-rábano
½ pimenta vermelha fresca
1 pera

um maço de salsa fresca
1 colher (chá) de mostarda francesa
1 colher (chá) de mostarda com
  sementes
2 colheres (sopa) de vinagre de vinho
  branco
250 g de presunto cru

MUÇARELA COM PESTO

2 bolas (125 g cada) de muçarela
100 g de pinólis
½ dente de alho
75 g de queijo parmesão
um maço grande de manjericão
  fresco
½ limão
½ pimenta vermelha seca

TEMPEROS

azeite de oliva extravirgem
sal marinho e pimenta-do-reino

GRANITA

1 saco de cubos de gelo
3-4 ramos de hortelã fresca
1 limão-siciliano
1 limão taiti
1 colher (chá) de essência de baunilha
3 colheres (sopa) cheias de açúcar
1 *grapefruit* rosado
iogurte natural, para servir
1 caixinha de framboesa, para servir

PARA SERVIR

uma garrafa de vinho *rosé* gelado

PARA COMEÇAR Reúna todos os ingredientes e utensílios que vai usar. Ligue o forno a 150°C. Instale o batedor de lâminas no processador de alimentos. Verifique se tem espaço no freezer para acomodar uma travessa.

GRANITA Encha a jarra do processador até a metade com cubos de gelo. Junte as folhas dos 3-4 ramos de hortelã. Rale bem fino a casca dos 2 limões e acrescente 1 colher (chá) de baunilha. Bata até obter um tipo de neve. Enquanto estiver batendo, adicione 3 colheres (sopa) cheias de açúcar e esprema o suco dos 2 limões. Quando a mistura ficar bem parecida com neve, coloque numa tigela e leve ao freezer.

REMOULADE & PRESUNTO CRU Enxágue rapidamente a jarra do processador e troque o batedor de lâminas pelo disco de ralar grosso. Descasque o aipo-rábano, corte ao meio e depois em quartos. Tire as sementes de ½ pimenta vermelha. Corte a pera ao meio no sentido do comprimento e retire a parte dura do miolo. Rale o aipo-rábano, a pimenta vermelha, a pera e a salsa no processador. Passe tudo para uma tigela grande. Acrescente 1 colher (chá) de mostarda francesa e 1 colher (chá) de mostarda com sementes, 5 colheres (sopa) de azeite extravirgem, 2 colheres (sopa) de vinagre de vinho branco e uma pitada de sal e pimenta. Misture com as mãos, prove para verificar o equilíbrio dos sabores e reserve.

FOCACCIA Coloque a *focaccia* no forno por cerca de 15 minutos para aquecer. Prepare o recheio: coloque sobre uma tábua de cortar os pimentões, 1 colher (chá) de alcaparras, os 6 tomates secos, as azeitonas, a pimenta vermelha, os tomates-cereja e 3-4 pepinos em conserva. Tire as folhas da hortelã dos talos. Retire o caroço das azeitonas. Fatie a pimenta vermelha bem fino. Fatie todos os ingredientes do recheio juntos na tábua e passe para uma tigela. Adicione um pouco de azeite extravirgem, esprema por cima o suco de ½ limão, misture e amasse com as mãos.

Tire a *focaccia* do forno. Corte-a cuidadosamente ao meio na horizontal com uma faca serrilhada e abra como se fosse um livro. Espalhe o recheio na parte de baixo, despeje os sucos que restaram na tigela e rale uma boa quantidade de parmesão. Cubra com a outra metade da *focaccia,* coloque sobre uma tábua e leve à mesa.

REMOULADE & PRESUNTO CRU Arranje o presunto em círculo numa tábua rústica de madeira. Coloque a *remoulade* no meio e leve à mesa.

MUÇARELA COM PESTO Escorra as bolas de muçarela e coloque-as numa tigela. Enxágue a jarra do processador, tire o disco de ralar e instale o batedor de lâminas. Bata 100 g de pinólis, ½ dente de alho descascado, 75 g de parmesão, o manjericão e 100 ml de azeite extravirgem. Coloque 2 colheres (sopa) desse pesto sobre as bolas de muçarela e guarde o restante num vidro para usar em outra ocasião. Regue com um fio de azeite extravirgem e polvilhe sal e pimenta. Role a muçarela no tempero, depois regue com mais azeite extravirgem. Esprema por cima o suco de ½ limão, rale um pouco de parmesão e esmigalhe a ½ pimenta vermelha seca. Passe a muçarela para uma travessa e leve à mesa.

PARA SERVIR Divida o sanduíche de *focaccia* e a muçarela temperada entre todos. Sirva com algumas fatias de presunto cru, um pouco da *remoulade* e uma taça de vinho *rosé* gelado.

GRANITA Quando chegar a hora da sobremesa, tire a tigela com a granita do freezer. Afofe o gelo com um garfo e esprema por cima o suco do *grapefruit* rosado. Leve à mesa com o iogurte natural e as framboesas. Delicioso!

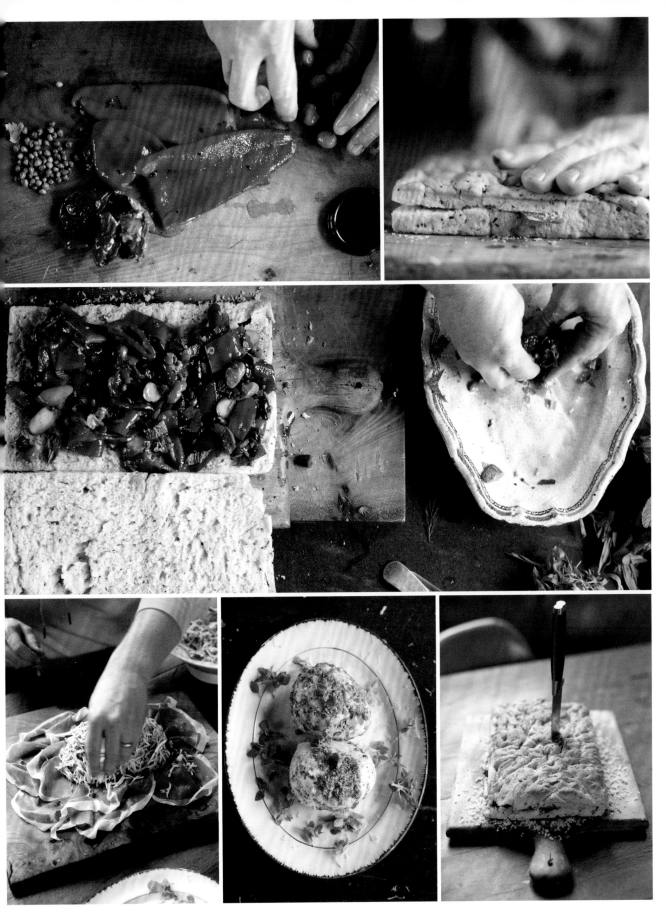

FILÉ DE PORCO ASSADO & LINGUIÇA

MOLHO DE COGUMELO
PURÊ DE AIPO-RÁBANO
VAGEM AO ALHO

SERVE 6

PORCO

500 g de filé de porco
400 g de linguiça de porco de boa
 qualidade
4 ramos de alecrim fresco
2 maçãs vermelhas pequenas
açúcar

PURÊ

1 kg de aipo-rábano
alguns ramos de tomilho
½ limão

MOLHO

4 fatias de bacon defumado
alguns ramos de alecrim fresco
200 g de rim de porco
8 cogumelos-de-paris grandes
opcional: uma dose de Marsala
150 ml de creme de leite
1 colher (sopa) de mostarda inglesa

VAGEM

400 g de vagem
½ limão
1 dente de alho

TEMPEROS

azeite de oliva
azeite de oliva extravirgem
sal marinho e pimenta-do-reino

PARA SERVIR

cerveja

PARA COMEÇAR Reúna todos os ingredientes e utensílios que vai usar. Ligue o forno a 220°C. Coloque sobre fogo alto sua maior frigideira que possa ir ao forno e leve uma outra, média, ao fogo médio. Encha a chaleira de água e leve ao fogo para ferver.

PORCO Corte o filé em borboleta, abrindo ao meio no sentido do comprimento, mas deixando as metades unidas no alto para se abrir como um livro (ou peça ao seu açougueiro para fazer). Despeje um fio de azeite, polvilhe sal e pimenta e esfregue nos dois lados da carne. Lave as mãos. Coloque o filé na frigideira grande e vire a cada minuto por cerca de 5 minutos, até dourar de todos os lados.

PURÊ Sobre uma tábua de madeira, descasque o aipo-rábano com uma faca ou descascador de legumes e corte em pedaços grandes (🔲▯). Coloque numa tigela que possa ir ao micro-ondas e polvilhe sal e pimenta. Tire as folhas de tomilho dos talos e acrescente-as. Esprema por cima o suco de ½ limão. Adicione a metade de limão espremida e um pouco de água fervente e cubra a tigela com uma camada dupla de filme plástico. Cozinhe em potência máxima por 12 minutos ou até o aipo-rábano amolecer. Lave a tábua e a faca.

PORCO Se necessário, adicione mais azeite ao filé. Diminua um pouco o fogo e continue virando por mais alguns minutos para ficar bem dourado.

MOLHO Corte as fatias de bacon em tirinhas e coloque na frigideira vazia com um fio de azeite. Pique e acrescente as folhas de alguns ramos de alecrim. Corte o rim ao meio e remova qualquer pedacinho branco de tendão. Corte os cogumelos e o rim em fatias finas e acrescente à frigideira com uma boa pitada de pimenta. Misture bem.

PORCO Enrole os gomos de linguiça em espiral, formando uma roda (como na foto), e prenda com espetos (🔲▯). Use um pegador para transferir o filé para uma assadeira, leve à prateleira superior do forno e asse por 15 minutos ou até

os dois lados ficarem dourados. Adicione uma esguichada de azeite à frigideira vazia e coloque a roda de linguiça. Deixe fritando enquanto você acrescenta as folhas dos ramos de alecrim. Vire a linguiça e doure do outro lado. Corte as maçãs ao meio, acomode-as na frigideira e mexa até absorverem os sucos.

MOLHO Segure a frigideira com cuidado e adicione uma dose de Marsala (se for usá-lo). Deixe o álcool evaporar por 1 minuto ou flambe. Depois de 30 segundos, junte 150 ml de creme de leite e 1 colher (sopa) de mostarda inglesa.

VAGEM Leve uma panela pequena ao fogo alto, encha até ¾ com água fervente e tempere com uma pitada de sal. Apare a extremidade das vagens cortando todas ao mesmo tempo. Coloque na panela, tampe e cozinhe por 5 minutos ou até ficarem macias.

PORCO Polvilhe um pouquinho de açúcar sobre a maçã. Leve a frigideira à prateleira do meio do forno para cozinhar por mais 10 minutos.

PURÊ Retire a tigela do micro-ondas, verifique se o aipo-rábano está cozido e, se estiver, descarte a metade de limão e o excesso de água. Regue com azeite extravirgem e tempere com sal e pimenta. Amasse até obter uma boa consistência e leve à mesa.

MOLHO Junte um pouco de água fervente da panela das vagens para soltar os cogumelos, se for preciso. Prove o tempero, ajuste, se necessário, e leve à mesa.

VAGEM Despeje a vagem no escorredor e passe para uma travessa. Esprema por cima o suco de ½ limão e esmague 1 dente de alho com casca. Regue com azeite extravirgem, polvilhe sal e pimenta, mexa e leve à mesa.

PARA SERVIR Coloque a roda de linguiça e o filé de porco numa tábua de madeira e leve à mesa com a travessa de vagem. Deixe a carne descansar por 1-2 minutos enquanto todos vão se servindo. Separe as linguiças e fatie a carne.

COSTELETAS DE PORCO & TORRESMO

BATATAS ESMAGADAS

REPOLHO COM HORTELÃ

PÊSSEGOS COM CREME

SERVE 4

PORCO

4 costeletas de porco (180 g cada) com o couro (N. do T. – No Brasil, as costeletas não vêm com o couro. Se quiser fazer os torresmos, compre um pedaço de toucinho.)
8 dentes de alho
1 colher (chá) de sementes de erva-doce
um maço pequeno de sálvia fresca
mel, para regar

TEMPEROS

azeite de oliva extravirgem
sal marinho e pimenta-do-reino

BATATAS

700 g de batata
½ limão
1 colher (chá) bem cheia de mostarda com sementes
um maço pequeno de salsa fresca

REPOLHO

1 repolho-crespo pequeno
2 colheres (chá) bem cheias de molho de hortelã

PÊSSEGOS COM CREME

2 latas (415 g cada) de metades de pêssego em calda
1 pau de canela
1 pote (425 g) de *custard* (veja página 176)
4 biscoitos crocantes
2 ramos de hortelã fresca

PARA COMEÇAR Reúna todos os ingredientes e utensílios que irá usar. Ligue o forno a 180°C. Encha a chaleira de água e leve para ferver. Coloque uma frigideira grande em fogo alto.

PORCO Coloque as costeletas numa tábua de cortar de plástico e separe o couro e parte da gordura. Corte o couro em tiras de 1 cm e coloque na frigideira com a gordura para baixo para fazer o torresmo.

BATATAS Lave as batatas e elimine os "olhos" e imperfeições. Corte as maiores ao meio e espete com uma faca as que ficaram inteiras. Coloque todas numa tigela grande de servir que possa ir ao micro-ondas. Adicione ½ limão e polvilhe com sal e pimenta. Cubra com uma camada dupla de filme plástico e cozinhe em potência alta por cerca de 17 minutos ou até ficarem macias.

PORCO Use um pegador para virar o torresmo. Faça cortes fundos na camada de gordura das costeletas e tempere-as dos dois lados com sal e pimenta. Retire a frigideira do fogo assim que o torresmo ficar dourado e crocante.

REPOLHO Corte o repolho ao meio, descarte a base e as folhas externas. Corte cada metade em 4 gomos, acomode-o numa panela grande e reserve.

PORCO Esmague com o punho 8 dentes de alho com casca e junte à frigideira. Leve-a de volta ao fogo. Empurre o torresmo e o alho para as bordas e coloque as costeletas no meio, de pé, com a gordura para baixo (veja a foto da página ao lado). Com um pegador, transfira o torresmo e o alho para uma assadeira. Espalhe por cima as sementes de erva-doce e leve a assadeira à prateleira superior do forno. Lave bem as mãos e escolha as folhas da sálvia.

REPOLHO Despeje água fervente na panela e acrescente uma boa pitada de sal. Tampe e leve ao fogo alto. Cozinhe o repolho por 6-8 minutos ou até ficar macio.

PORCO Quando as costeletas estiverem douradas no lado da gordura, use o pegador para deitá-las na frigideira. Cozinhe por cerca de 4 minutos, até começarem a dourar. Retire do forno a assadeira com o torresmo e acrescente as folhas de sálvia e as costeletas. Misture tudo, depois arranje a sálvia e os torresmos sobre as costeletas. Despeje um fio de mel em cada costeleta e volte a pôr a assadeira no forno. Asse por mais 10 minutos ou até as costeletas ficarem bem cozidas e maravilhosas.

PÊSSEGOS COM CREME Coloque os pêssegos e sua calda numa panela. Adicione o pau de canela e leve ao fogo alto. Deixe reduzir.

REPOLHO Vire no escorredor e depois devolva à panela. Acrescente 2 colheres (chá) de molho de hortelã, uma pitada de sal e pimenta e uma esguichada de azeite extravirgem. Mexa delicadamente com o pegador para espalhar o tempero. Tampe a panela para manter o repolho aquecido até a hora de levar à mesa.

BATATAS Tire as batatas do micro-ondas. Perfure o filme plástico com cuidado e retire. Verifique se as batatas estão cozidas e descarte o ½ limão. Adicione 1 colher (chá) de mostarda com sementes, umas esguichadas de azeite extravirgem, sal e pimenta a gosto. Pique a salsa bem fino e acrescente. Esmague as batatas com uma colher, misturando os sabores. Leve à mesa.

PÊSSEGOS COM CREME Passe o *custard* para uma travessa. Com uma colher, coloque os pêssegos e esmigalhe os biscoitos por cima. Despeje um pouco da calda reduzida quente, descartando a calda que sobrar. Rasgue as folhas de hortelã para decorar.

PORCO Retire as costeletas do forno e leve diretamente à mesa. Sirva com o repolho e as batatas esmagadas.

CASSOULET DE FORNO COM LINGUIÇA

SALADA QUENTE DE BRÓCOLIS

MERENGUES

SERVE 4

CASSOULET

4 fatias de bacon defumado
1½ cebola roxa
alguns ramos de alecrim fresco
3 folhas de louro
½ maço pequeno de sálvia fresca
2 alhos-porós
400 g de linguiça de porco de boa
  qualidade
3-4 fatias grossas de pão
2 dentes de alho
680 g de purê de tomate
780 g de feijão-branco cozido em
  conserva

BRÓCOLIS

400 g de brócolis
¼ de cebola roxa pequena
1 dente de alho
2 tomates italianos maduros
1 limão

TEMPEROS

azeite de oliva
azeite de oliva extravirgem
sal marinho e pimenta-do-reino

SOBREMESA

150 g de framboesa ou morango
1 colher (sopa) de mel, mais um
  pouco para regar
4 colheres (sopa) de iogurte natural
  firme
4 suspiros grandes, individuais
4 colheres (chá) de *lemon curd*
  (veja página 66)
folhas de hortelã fresca

PARA SERVIR

uma garrafa de vinho tinto

PARA COMEÇAR Reúna todos os ingredientes e utensílios que vai usar. Ligue o grill no máximo. Encha a chaleira de água e leve para ferver. Instale o batedor de lâminas no processador de alimentos.

CASSOULET Corte 4 fatias de bacon em tirinhas com 1 cm de espessura e coloque numa assadeira grossa com um pouco de azeite. Leve ao fogo alto. Descasque e fatie 1½ cebola roxa. Retire as folhas dos ramos de alecrim e coloque na assadeira, junto com o louro e a maioria das folhas de sálvia (reserve uma parte). Apare as pontas e a base dos alhos-porós e descarte as folhas externas. Lave bem e corte em fatias finas. Coloque o alho-poró e a cebola na assadeira e acrescente um pouco de água fervente. Mexa e deixe amolecer. Coloque a linguiça em outra assadeira e regue com azeite. Esfregue o azeite na linguiça, depois coloque sob o grill por 8 minutos. Mexa os vegetais que estão na outra assadeira.

BRÓCOLIS Leve ao fogo alto uma panela grande com água pela metade para ferver. Apare e descarte a parte dura dos talos dos brócolis.

SOBREMESA Coloque metade das frutas vermelhas numa tigela com 1 colher (sopa) de mel e amasse até obter uma pasta. Adicione o iogurte e incorpore delicadamente. Leve à geladeira. Arranje os belos suspiros numa tábua de servir e distribua 1 colher (chá) de *lemon curd* no centro de cada um. Deixe-os assim até a hora de servir. Coloque então uma colherada da mistura de fruta e iogurte sobre cada um. Arremate com algumas frutinhas, um fio de mel e folhas de hortelã.

CASSOULET Rasgue as fatias de pão em pedaços grandes e coloque no processador de alimentos com uma pitada de sal e pimenta, metade da sálvia reservada, 2 dentes de alho e um bom fio de azeite. Pulse até obter uma farofa grossa e uniforme. Adicione o purê de tomate, o feijão-branco e a água da conserva à assadeira onde está o alho-poró.

BRÓCOLIS Descasque ¼ de cebola roxa e rale grosseiramente em uma tigela. Esmague por cima o dente de alho. Corte os tomates ao meio, descarte as sementes, rale a polpa num ralador grosso e acrescente à tigela. Descarte as peles que restaram no ralador. Adicione algumas esguichadas de azeite extravirgem, tempere com sal e pimenta, esprema o suco de 1 limão e mexa bem.

CASSOULET Retire a linguiça do forno. Salpique metade da farofa de pão na assadeira do feijão. Com um pegador, coloque as linguiças deitadas, com o lado escuro para baixo, e salpique o restante da farofa. Umedeça as folhas de sálvia restantes com um pouco de azeite e espalhe por cima. Leve a assadeira ao forno, na prateleira do meio, e deixe assar por cerca de 4 minutos ou até a farofa ficar dourada e crocante.

BRÓCOLIS Coloque os brócolis na panela de água fervente com os talos para baixo e tampe. Cozinhe por alguns minutos ou até amolecer.

PARA SERVIR Quando os brócolis estiverem cozidos, escorra e passe para uma travessa. Espalhe o molho por cima às colheradas e leve à mesa. Retire o *cassoulet* do forno e leve à mesa, acompanhado de uma garrafa de vinho tinto.

PIQUENIQUE INGLÊS

SERVE 4 (com grandes sobras, ou serve 8 como um almoço leve)

FOLHADOS DE LINGUIÇA, PATÊ DE CAVALA, ASPARGOS GRELHADOS, SALADA COM PERA, ETON MESS

FOLHADOS DE LINGUIÇA

farinha de trigo, para polvilhar
1 folha (375 g) de massa folhada
  laminada
1 ovo
12 linguiças magras (aprox. 400 g)
1 colher (chá) de sementes de
  erva-doce
queijo parmesão, para ralar
1 colher (sopa) de sementes de
  gergelim

ASPARGOS

350 g de aspargos
½ limão
queijo Lancashire, para servir

PATÊ DE CAVALA

1 colher (sobremesa) cheia de
  raiz-forte em creme

300 g de cavala defumada
200 g de queijo cremoso light
um maço de salsa fresca
2 limões
um maço pequeno de rabanete
1 baguete

SALADA

1 embalagem (100 g) de agrião
  pré-lavado
4 cebolas em vinagre
1 pera
½ limão

TEMPEROS

azeite de oliva
azeite de oliva extravirgem
sal marinho e pimenta-do-reino

ETON MESS

400 g de morango
1 colher (sopa) bem cheia de açúcar
1 laranja sanguínea
2 colheres (chá) de essência de
  baunilha
uma dose de Pimm's (N. do T. –
  Bebida tradicional inglesa que
  geralmente se toma com limonada.)
250 g de iogurte desnatado
8 suspiros grandes
2 ramos de hortelã fresca

PARA SERVIR

mostarda inglesa
uma garrafa grande de limonada

PARA COMEÇAR Junte todos os ingredientes e utensílios que irá usar. Ligue o forno a 220°C. Coloque uma grelha em fogo alto. Instale o batedor de lâminas no processador de alimentos.

FOLHADOS DE LINGUIÇA Polvilhe uma superfície limpa com farinha e desenrole a massa folhada. Divida a massa ao meio no sentido vertical. Bata o ovo numa tigelinha e pincele-o sobre toda a massa. Arranje as linguiças sobre a massa (6 em cada metade, como na foto da página ao lado). Esmague 1 colher (chá) de sementes de erva-doce no pilão e polvilhe por cima. Rale bem fino uma camada de parmesão sobre as linguiças.

Dobre a massa sobre as linguiças e use um garfo para unir as bordas de modo a obter 2 rolos. Pincele o restante do ovo e espalhe por cima as sementes de gergelim. Despeje um fio de azeite numa assadeira, depois corte cada rolo em 10 pedaços e arranje na assadeira untada. Leve à prateleira superior do forno e asse por 15 minutos ou até ficarem dourados e crescidos. Lave as mãos e coloque o pão no forno para aquecer.

ASPARGOS Corte e elimine a extremidade dura dos aspargos, lave-os rapidamente e coloque-os deitados na grelha quente. Vire de vez em quando e grelhe até ficarem lindamente chamuscados de todos os lados.

PATÊ Coloque no processador 1 colher (sobremesa) de raiz-forte em creme, a cavala defumada, o queijo cremoso, o maço de salsa e uma boa pitada de pimenta. Rale finamente a casca de 1 limão e adicione o suco de 1½ limão. Deixe o processador funcionando enquanto você lava os rabanetes, corta-os ao meio e arruma na beirada de uma tigela. Quando o patê estiver liso, passe para a tigela com uma colher. Você pode colocar o patê na geladeira para firmar, mas eu prefiro um pouco mais mole. Regue

com azeite extravirgem e leve à mesa, com o pão aquecido e ½ limão para espremer.

ASPARGOS Vire os aspargos na grelha.

SALADA Passe o agrião para uma travessa. Fatie fino as 4 cebolas e espalhe sobre o agrião. Corte a pera em rodelas finas, com sementes e tudo, depois corte as rodelas em palitos e adicione. Tempere com sal, pimenta e um bom fio de azeite extravirgem e leve à mesa com ½ limão para espremer na hora de servir.

ASPARGOS Regue os aspargos com azeite extravirgem e esprema por cima o suco de ½ limão. Balance a grelha, tempere levemente com sal e pimenta e passe para uma travessa. Leve à mesa com um pedaço de queijo Lancashire para cortar em lascas finas.

FOLHADOS DE LINGUIÇA Se estiverem bem assados e dourados, retire-os do forno. Se ainda não estiverem, deixe-os no forno mais um tempo enquanto prepara a sobremesa.

ETON MESS Fatie os morangos e coloque numa travessa com 1 colher (sopa) bem cheia de açúcar. Rale por cima a casca da laranja, depois esprema o suco de uma das metades. Adicione 2 colheres (chá) de baunilha e, com toda a força, esmague e misture tudo com um garfo. Despeje um pouco de Pimm's e misture de novo. Vá colocando o iogurte às colheradas na travessa e espalhe, incorporando a mistura de morangos enquanto avança. Esmague metade dos suspiros e misture de novo. Decore com folhas de hortelã e leve à mesa com o restante dos suspiros. Esmague-os por cima na hora de servir para que ainda estejam bem crocantes ao serem saboreados.

PARA SERVIR Tire os folhados de linguiça do forno, arranje sobre uma grade e leve à mesa acompanhados de mostarda inglesa. Não se esqueça da limonada.

LINGUIÇA ENROLADA

PURÊ COM RAIZ-FORTE

SALADA DE MAÇÃ

MOLHO DE SÁLVIA E

ALHO-PORÓ

MAÇÃS RECHEADAS

SERVE 4–6

LINGUIÇA ENROLADA

12 gomos de linguiça de boa
  qualidade (aprox. 400 g)
3 ramos de sálvia fresca

MOLHO

2 alhos-porós
alguns ramos de sálvia fresca
1 cubo de caldo de galinha orgânico
1 colher (sopa) bem cheia de farinha
  de trigo
200 ml de sidra de boa qualidade

PURÊ COM RAIZ-FORTE

800 g de batata

uma bolota grande de manteiga
2 colheres (chá) bem cheias de
  raiz-forte em creme

SALADA DE MAÇÃ

4 *crackers* multigrãos
50 g de queijo cremoso
1 limão
1 maçã pequena
50 g de agrião pré-lavado

TEMPEROS

azeite de oliva
azeite de oliva extravirgem
sal marinho e pimenta-do-reino

MAÇÃS RECHEADAS (rende 4 ou 6)

4 maçãs pequenas (ou 6, se for para
  6 pessoas)
1 ovo
100 g de açúcar
100 g de damasco seco
100 g de amêndoa sem pele
creme de leite ou iogurte natural,
  para servir
opcional: um fio de Cointreau

PARA SERVIR

mostarda inglesa
sidra gelada

PARA COMEÇAR Reúna todos os ingredientes e utensílios que vai usar. Ligue o grill no máximo. Coloque uma panela grande em fogo baixo. Encha a chaleira de água e leve para ferver. Instale o batedor de lâminas no processador de alimentos.

LINGUIÇA ENROLADA Amasse uma folha grande de papel-manteiga sob a torneira, depois estenda-a. Sobre o papel, solte os fios entre os gomos da linguiça e esprema a carne para formar 2 gomos bem compridos. Enrole formando uma roda. Use alguns espetos de madeira para manter os gomos unidos (🎥). Coloque folhas de sálvia nos espaços. Regue com azeite e esfregue. Levante o papel-manteiga com a roda e transfira para uma assadeira grande. Descarte o excesso de papel. Lave as mãos. Leve a assadeira à prateleira superior do forno, sob o grill, e asse por 10 minutos ou até a linguiça dourar.

MAÇÃS RECHEADAS Retire o miolo das maçãs formando um tubo. Com uma faca, risque uma linha na casca marcando o meio. Quebre 1 ovo no processador e adicione 100 g de açúcar, 100 g de damasco seco e 100 g de amêndoa sem pele (que receita fácil de lembrar!). Bata até combinarem. Usando uma colher, recheie as maçãs com essa mistura. Espalhe o recheio restante numa travessa que possa ir ao micro-ondas e em que as maçãs fiquem bem juntas. Coloque-as sobre a mistura e leve ao micro-ondas, descobertas, por 10 minutos em potência alta.

MOLHO Coloque uma frigideira grande, com tampa, em fogo baixo.

PURÊ COM RAIZ-FORTE Aumente o fogo sob a panela grande para alto. Corte rapidamente as batatas em pedaços de 1 cm, coloque na panela e adicione água fervente apenas até cobri-las. Reserve um pouco de água para depois. Tempere com uma pitada de sal e tampe.

MOLHO Enxugue a tábua de cortar. Apare as pontas dos 2 alhos-porós, corte ao meio no sentido do comprimento e lave bem. Corte em fatias de 1 cm e coloque na frigideira com uma esguichada de azeite e uma boa quantidade de água fervente. Tampe e aumente o fogo para médio. Mexa de vez em quando.

LINGUIÇA ENROLADA Retire do forno, vire a roda de linguiça e volte a pôr a assadeira na prateleira superior.

SALADA DE MAÇÃ Quebre 4 *crackers* multigrãos em tamanhos fáceis de comer. Use as costas de uma colher (chá) para espalhar um pouquinho de queijo cremoso em cada um e arranje numa travessa. Rale por cima a casca de ½ limão e polvilhe uma pitada de pimenta. Corte a base da maçã e, em seguida, fatie em rodelas, o mais fino que conseguir. Empilhe as rodelas e corte em palitinhos. Esprema ½ limão por cima para a maçã não escurecer.

MOLHO Fatie bem fino as folhas de sálvia e adicione ao alho-poró. Esfarele e acrescente 1 cubo de caldo de galinha e 1 colher (sopa) de farinha. Mexa bem e junte 200 ml de sidra. Deixe reduzir e depois adicione 200 ml de água fervente. Diminua o fogo para brando e deixe reduzir até obter uma boa consistência.

SALADA DE MAÇÃ Espalhe ramos de agrião entre os pedaços de *cracker* e sobre a maçã em tirinhas. Coloque a outra metade do limão ao lado para espremer na hora. Regue com um fio de azeite extravirgem e leve à mesa.

MAÇÃS RECHEADAS Retire o prato do micro-ondas. Se o recheio saiu, empurre de volta com uma colher. Passe a roda de linguiça para a prateleira de baixo do forno e coloque as maçãs na prateleira superior para caramelizar.

PURÊ COM RAIZ-FORTE Escorra a batata, devolva à panela e amasse junto com uma grande bolota de manteiga e uma pitada de sal e pimenta. Acrescente 2 colheres (chá) de raiz-forte em creme, misture bem e leve à mesa.

MAÇÃS RECHEADAS Coloque o creme de leite numa jarrinha para servir. Quando as maçãs estiverem douradas e deliciosas, tire do forno e, se quiser ser dramático como eu, despeje uma dose de Cointreau e, com todo o cuidado, acenda com um fósforo. Quando a chama arrefecer, sirva com o creme de leite.

PARA SERVIR Coloque a assadeira da linguiça sobre uma tábua e leve à mesa junto com a panela do molho. Deixe ao lado o pote de mostarda inglesa. Sirva com sidra gelada.

FESTA DAS TAPAS

SERVE 6

TORTILLA

250 g de batata pequena ou nova
1 cebola roxa pequena
1 colher (chá) de sementes de
  erva-doce
2 dentes de alho
½ maço pequeno de alecrim fresco
8 ovos
um punhado grande de rúcula
  pré-lavada, para servir

CHORIZO

250 g de chorizo semicurado de boa
  qualidade
2 dentes de alho
4 colheres (sopa) de vinagre de
  vinho tinto
1 colher (sopa) de mel

PIMENTÕES

100 g de queijo Manchego
1 pão *ciabatta*
50 g de amêndoa sem pele
um maço pequeno de tomilho fresco
vinagre de vinho tinto
1 vidro (450 g) de pimentões inteiros
  em conserva

MANCHEGO COM CARNES

100 g de carnes curadas espanholas,
  como presunto pata negra
100 g de queijo Manchego
mel, para regar
uma pitada de café instantâneo
um punhado de azeitonas pretas
opcional: 2 ramos de tomilho ou
  orégano fresco

ANCHOVAS

100 g de anchovas marinadas ou
  temperadas
alguns ramos de salsa fresca
½ limão
150 g de tomate-cereja
páprica defumada, para polvilhar

TEMPEROS

azeite de oliva
azeite de oliva extravirgem
sal marinho e pimenta-do-reino

PARA SERVIR

uma garrafa de água com gás
1 laranja
uma garrafa de xerez seco gelado

PARA COMEÇAR Reúna todos os ingredientes e utensílios que vai usar. Coloque uma frigideira média (aprox. 26 cm) que possa ir ao forno em fogo alto e uma frigideira pequena em fogo baixo. Ligue o grill no máximo. Instale o batedor de lâminas no processador de alimentos.

TORTILLA Pique as batatas em pedaços de 1 cm. Coloque na frigideira média com uma esguichada de azeite e mexa bem. Corte a cebola roxa ao meio, descasque e pique grosseiramente. Quando a batata estiver com uma boa cor, adicione a cebola e as sementes de erva-doce. Continue o preparo dos outros pratos, mas lembre-se de mexer a frigideira de vez em quando.

CHORIZO Corte o chorizo em rodelas de 2 cm de espessura. Coloque na frigideira pequena com uma esguichada de azeite e mexa de vez em quando até ficar dourado e crocante.

PIMENTÕES Tire a casca do queijo Manchego e esmigalhe no processador com um punhado de pedaços de *ciabatta*, 50 g de amêndoa sem pele, as folhas de um maço de tomilho, uma boa pitada de sal e pimenta e uma borrifada de vinagre de vinho tinto. Bata até obter uma farofa fina e use-a para rechear os pimentões – não é preciso apertar. Coloque os pimentões recheados numa assadeira e espalhe por cima a farofa de pão restante, os talos de tomilho e regue com um fio de azeite. Leve à prateleira do meio do forno, sob o grill, por 8 minutos. Rasgue a *ciabatta* restante ao meio e leve-a à mesa.

MANCHEGO Arranje numa tábua as fatias de carne curada e o pedaço de queijo Manchego. Despeje um fio de mel no queijo e polvilhe uma pitada de café. Espalhe sobre a carne um punhado de azeitonas pretas e algumas folhas de tomilho ou orégano (se for usá-lo). Regue com um pouco de azeite extravirgem, polvilhe pimenta e leve à mesa.

CHORIZO Esmague 2 dentes de alho com casca com o punho ou com o fundo de uma panela e adicione ao chorizo.

TORTILLA A essa altura, a batata deve estar dourada, por isso diminua o fogo para brando. Esmague 2 dentes de alho com casca e acrescente. Retire as folhas dos ramos de alecrim, adicione uma parte à frigideira e misture. Tempere com uma boa pitada de sal e pimenta.

CHORIZO Escorra cuidadosamente a maior parte da gordura, deixando cerca de 1 colher (sopa). Acrescente o vinagre de vinho tinto e o mel e deixe reduzir até o chorizo ficar glaceado. Fique de olho, sacudindo a frigideira de vez em quando para não grudar.

TORTILLA Prove a batata para corrigir o tempero, se necessário. A seguir, quebre os ovos sobre a frigideira e mexa delicadamente com uma colher de pau para criar um efeito de mármore. Aumente o fogo para médio. Assim que o ovo começar a firmar nas bordas, espalhe o restante das folhas de alecrim. Coloque na prateleira superior do forno, sob o grill, por 3-5 minutos ou até firmar por completo e ficar fofa e dourada.

ANCHOVAS Coloque as anchovas numa travessa de servir bem bonita. Pique bem fino uns ramos de salsa e espalhe por cima. Acrescente a casca finamente ralada de ½ limão e regue com um fio de azeite extravirgem. Corte os tomates-cereja ao meio e coloque ao lado das anchovas. Deixe perto um copinho com palitos de coquetel. A ideia é que cada comensal faça seus próprios espetinhos. Polvilhe uma pitada de páprica e leve à mesa.

PARA SERVIR Leve à mesa os pimentões recheados e a tortilla com um grande maço de rúcula ao lado. Coloque na mesa a frigideira com o chorizo glaceado. Sirva com uma jarra de água com gás gelada cheia de rodelas de laranja e uma garrafa de vinho xerez seco gelado.

CORDEIRO À MARROQUINA

SERVE 4–6

PIMENTÃO RECHEADO COM QUEIJO, PÃO SÍRIO CUSCUZ COM ERVAS, REFRESCO DE ROMÃ

CORDEIRO

2 *carrés* de cordeiro (8 costeletas cada) sem gordura
1 noz-moscada, para ralar
1 colher (chá) de cominho em pó
1 colher (chá) de páprica doce, mais um pouco para polvilhar
1 colher (chá) de tomilho seco
1 limão

CUSCUZ

200 g de cuscuz marroquino
1 pimenta vermelha fresca
um maço de salsa ou hortelã fresca
1 limão

GUARNIÇÕES

1 pacote de pão sírio
1 colher (sopa) de tomilho ou orégano seco
250 g de iogurte natural
1 colher (chá) cheia de *harissa* (veja página 156)
200 g de homus
½ limão

TEMPEROS

azeite de oliva
azeite de oliva extravirgem
sal marinho e pimenta-do-reino

PIMENTÃO RECHEADO

60 g de queijo bom para derreter, como *cheddar* ou *fontina*
8 pimentões vermelhos pequenos em conserva

REFRESCO

cubos de gelo
alguns ramos de hortelã fresca
½ limão
1 romã
uma garrafa de água com gás

PARA COMEÇAR Reúna todos os ingredientes e utensílios que vai usar. Encha a chaleira de água e leve para ferver. Coloque uma frigideira grande em fogo médio. Leve uma assadeira ao forno e ligue-o a 220°C.

CORDEIRO Estenda uma folha de papel-manteiga sobre uma tábua, coloque os *carrés* e corte cada um ao meio, ficando com 4 *carrés* menores. Risque a superfície de cada um em grade e rale por cima ½ noz-moscada e polvilhe com cominho, páprica doce e tomilho. Esfregue os temperos na carne, leve à frigideira grande já quente e adicione uma esguichada de azeite. Descarte o papel. Vire e doure os *carrés* de todos os lados por cerca de 5 minutos, enquanto vai preparando os outros pratos.

CUSCUZ Despeje o cuscuz numa tigela grande com um pouco de azeite e uma pitada de sal, e adicione água fervente suficiente para cobrir. Cubra a tigela com um prato e deixe descansar por alguns minutos.

GUARNIÇÕES Coloque os pães numa tábua. Despeje um fio de azeite e salpique com sal e tomilho ou orégano seco. Amasse e molhe um pedaço grande de papel-manteiga, estenda e embrulhe os pães empilhados. Leve ao forno, na prateleira inferior, para aquecer.

CORDEIRO Verifique os *carrés*. Se estiverem bem dourados, transfira-os para a assadeira quente com os ossos para cima e leve à prateleira superior do forno. Regule o timer para 14 minutos para carne ao ponto, um pouco menos para malpassada e mais para bem passada. Na metade do tempo de cozimento, vire os *carrés*. Enxágue a frigideira e seque com toalhas de papel. Coloque em fogo brando.

REFRESCO Encha uma jarra com gelo até a metade. Esmague alguns ramos de hortelã e adicione, junto com o suco de ½ limão. Coloque uma peneira na jarra, corte a romã ao meio e esprema com força cada metade para todas as cápsulas quebrarem e o suco cair na jarra.

Descarte o bagaço. Complete com água com gás, mexa com uma colher de pau e leve à mesa.

PIMENTÕES RECHEADOS Divida o queijo em 8 fatias e coloque 1 fatia dentro de cada pimentão.

CORDEIRO Vire os *carrés*, sacuda a assadeira e polvilhe sal. Volte ao forno.

CUSCUZ Retire as sementes da pimenta vermelha e pique muito bem. Pique a maioria das folhas de salsa ou hortelã (reserve um pouco). Tire o prato de cima do cuscuz, adicione a pimenta e as folhas picadas, umas esguichadas de azeite extravirgem, sal e pimenta. Esprema por cima o suco de 1 limão. Mexa e afofe com um garfo. Prove, corrija o tempero, se necessário, e leve à mesa.

GUARNIÇÕES Coloque o iogurte numa tigela, acrescente a *harissa* e mexa levemente. Regue com um fio de azeite extravirgem e adicione algumas folhas da salsa reservada. Passe o homus para um prato, faça uma cova no meio e despeje azeite extravirgem. Adicione sal e pimenta, uma espremida do suco de ½ limão e uma pitada de páprica. Leve à mesa.

PIMENTÃO RECHEADO Despeje um fio de azeite na frigideira que foi usada para os *carrés* e coloque os pimentões. Cozinhe por apenas 1½-2 minutos e, assim que o queijo derreter, desligue o fogo. É rápido e delicioso.

CORDEIRO Retire do forno e transfira para uma tábua para descansar por alguns minutos.

PARA SERVIR Passe os pimentões para uma travessa e espalhe por cima algumas folhas de salsa ou hortelã. Tire os pães do forno. Espalhe o resto da salsa sobre a carne, corte o limão em gomos para cada um acrescentar o suco, se desejar. Leve tudo à mesa e aproveitem!

CORDEIRO DE PRIMAVERA

TRAVESSA DE VEGETAIS

MOLHO DE HORTELÃ

MOLHO DE CHIANTI

FONDUE DE CHOCOLATE

SERVE 4–6

CORDEIRO

1 *carré* de cordeiro (com 8
  costeletas), sem gordura
2 filés (250 g) de pescoço de cordeiro
3 ramos de alecrim fresco
2 dentes de alho
1 colher (chá) de mostarda Dijon
vinagre de vinho branco
300 g de tomate-cereja em rama

MOLHO DE CHIANTI

4 fatias de bacon defumado
2 ramos de alecrim fresco
1 colher (sopa) cheia de farinha
  de trigo
½ taça de vinho tinto Chianti

VEGETAIS

500 g de batata nova
250 g de minicenoura
talos de um maço de hortelã fresca
1 cubo de caldo de galinha orgânico
200 g de vagem macarrão
200 g de vagem manteiga
½ repolho-crespo
200 g de ervilha congelada
uma bolota de manteiga
½ limão

TEMPEROS

azeite de oliva
azeite de oliva extravirgem
sal marinho e pimenta-do-reino

MOLHO DE HORTELÃ

folhas de um maço de hortelã fresca
4 colheres (sopa) de vinagre de
  vinho tinto
1 colher (sopa) de açúcar

FONDUE

1 barra (100 g) de chocolate amargo
  (cerca de 70% de cacau)
1 colher (chá) de essência de baunilha
100 ml de leite
4-6 punhados de frutas (manga,
  morango, abacaxi) picadas

PARA COMEÇAR Junte todos os ingredientes e utensílios que vai usar. Coloque uma frigideira grande e uma panela grande em fogo alto. Encha a chaleira de água e leve para ferver. Acenda o forno a 220°C.

CORDEIRO Corte o *carré* ao meio e tempere com sal e pimenta. Coloque na frigideira com um pouco de azeite.

VEGETAIS Lave as batatas e apare as cenouras. Coloque na panela grande com uma pitada de sal. Arranque as folhas do maço de hortelã e reserve para o molho. Amarre os talos formando um macinho e junte à panela. Adicione água fervente suficiente para cobrir e esfarele o cubo de caldo de galinha antes de acrescentá-lo. Tampe.

CORDEIRO Despeje um fio de azeite dentro da embalagem dos filés de pescoço de cordeiro e polvilhe sal e pimenta. Sacuda a embalagem para espalhar o tempero. Vire o *carré* e coloque os dois filés na frigideira. Sele as bordas da carne e frite cada pedaço até todos ficarem dourados.

Coloque em um pilão as folhas de 3 ramos de alecrim, sal, pimenta e o alho descascado e amasse muito, muito bem. Vire o cordeiro. Adicione ao pilão a mostarda, umas esguichadas de azeite e um pouco de vinagre. Misture bem.

Verifique se todos os lados do cordeiro estão selados e, usando um pegador, transfira para uma assadeira. Elimine a maior parte da gordura que ficou na frigideira e leve ao fogo mínimo. Despeje o conteúdo do pilão sobre o carneiro e acomode os tomates em rama. Mexa até tudo ficar coberto pelo tempero e polvilhe sal. Leve à prateleira superior do forno e ajuste o timer em 14 minutos para carne ao ponto, menos para malpassada e mais para bem passada. Vire os pedaços no meio do tempo de cozimento.

MOLHO DE CHIANTI Fatie muito bem o bacon e coloque na frigideira que está no fogo.

MOLHO DE HORTELÃ Pique muito bem as folhas de hortelã reservadas e coloque no pilão que não foi lavado. Esmague bem, depois adicione o vinagre de vinho tinto, o açúcar, uma pitada de sal e 2 colheres (sopa) da água fervente dos vegetais. Misture tudo no pilão e acrescente uma gota de azeite extravirgem. Leve à mesa com uma colher para servir.

MOLHO DE CHIANTI Aumente o fogo sob o bacon e adicione as folhas de alecrim. Acrescente a farinha, o vinho tinto e algumas conchas da água fervente dos vegetais.

VEGETAIS Apare as pontas das vagens e corte em pedaços de 1 cm. Descarte as folhas externas e o talo de ½ repolho e corte em gomos finos. Adicione o repolho, as vagens e a ervilha à panela, mexa e tampe.

CORDEIRO Vire a carne. Se os tomates estiverem cozinhando demais, coloque a carne sobre eles.

MOLHO DE CHIANTI Acrescente 1 colher da água do cozimento dos vegetais, se necessário.

FONDUE Esmague o chocolate na embalagem, depois abra e coloque numa tigelinha que possa ir ao micro-ondas. Acrescente a baunilha, uma pitadinha de sal e o leite. Cozinhe em potência alta por 1½ minuto, deixe descansar por alguns segundos, mexa e cozinhe por mais 1 minuto em potência alta. Enquanto isso, pique as frutas em pedaços e coloque em uma travessa. Tire a tigelinha do micro-ondas e mexa até todo o chocolate estar derretido. Coloque a tigela na travessa das frutas e leve à mesa.

CORDEIRO Quando passarem os 14 minutos, tire o cordeiro do forno e deixe descansar por 1 minuto.

VEGETAIS Despeje os vegetais no escorredor e devolva à panela. Regue com uma boa quantidade de azeite extravirgem e acrescente sal, pimenta e uma bolota de manteiga. Esprema o suco de ½ limão e misture bem. Passe para uma travessa grande e leve à mesa.

MOLHO DE CHIANTI Leve à mesa numa molheira.

PARA SERVIR Separe os *carrés* em costeletas individuais e fatie os filés de pescoço. Sirva numa travessa. Coloque os tomatinhos sobre o cordeiro. Adicione azeite extravirgem aos sucos do cozimento, despeje sobre a travessa e sirva.

AGRADECIMENTOS

Esta lista fica mais longa a cada ano, mas, como sempre, vou dar o melhor de mim para não deixar ninguém de fora. Se eu deixar, por favor, me perdoe e me avise para eu colocá-lo numa próxima edição! Agradeço, antes de tudo, à minha linda e paciente esposa, Jools, que sempre está disposta a jantar comigo, mesmo quando chego em casa muito depois da hora. Eu te amo. Obrigado às minhas filhas, Poppy, Daisy, Petal e ? (ainda não fui apresentado!) por serem tão engraçadas, interessantes e simplesmente maravilhosas. Como sempre, obrigado e meu amor a vocês, mamãe e papai e, naturalmente, a Gennaro Contaldo.

A meu querido amigo e extraordinário fotógrafo, "Lord" David Loftus: mais uma vez, companheiro, você se superou. Escolher entre todas as suas belas fotos foi uma luta que durou um tempão. Muito amor.

Enormes agradecimentos à minha equipe de culinária pelo seu maravilhoso apoio, criatividade e energia. Vocês se empolgaram com este livro assim que falei dele e fizeram um trabalho incrível. Às brilhantes garotas do estilo, Ginny Rolfe, Anna Jones, Sarah Tildesley, Georgie Socratous e a pequena Christina "Scarabooch" McCloskey. Grande carinho também para os homens, Pete Begg e Daniel Nowland e, claro, às minhas soberbas senhoras Claire Postans, Bobby Sebire, Joanne Lord, Helen Martin e Laura Parr por ficarem de olho nos valores nutricionais. Juro que não sei o que faria sem vocês, meus amigos. Também um grande obrigado a Abigail "Scottish" Fawcett, Becca Hetherston e Kelly Bowers pela sua ajuda nos testes das receitas.

Agradeço com carinho às minhas esforçadas garotas das palavras: minha editora, Katie Bosher, e às adoráveis Rebecca "Rubs" Walker e Bethan O´Connor.

Um grito de obrigado para a equipe da Penguin, que demonstra uma coragem enorme ao apoiar minhas ideias malucas. Especialmente aos meus queridos amigos John Hamilton, Lindsey Evans, Tom Weldon e Louise Moore — foi um prazer e tanto trabalhar com vocês em mais um livro. Obrigado ao novo companheiro, Alistair (Al, Aladdin, Aslan, Alsace) Richardson, pelo projeto gráfico do livro. Agradeço também a todas essas pessoas da Penguin, que mantêm as rodas girando e aguentam fazer um imenso trabalho sob pressão: Nick Lowndes, Juliette Butler, Janis Barbi, Laura Herring, Airelle Depreux, Clare Pollock, Chantal Noel, Kate Brotherhood, Elizabeth Smith, Jen Doyle, Jeremy Ettinghausen, Anna Rafferty, Ashley Wilks, Naomi Fidler, Thomas Chicken e suas equipes — grande trabalho, turma! E enormes agradecimentos, como sempre, à muito querida Annie Lee, a Helen Campbell e Caroline Wilding. Este livro também tem uma edição digital com muitos bônus. Por isso, volto a agradecer a David Loftus e também a Paul Gwilliams pela preciosa filmagem. Obrigado também a Matt Shaw e Gudren Claire, da Fresh One Productions, por assistir a todos os filmes e editá-los de forma tão atraente. Minha executiva de marketing, a muito querida Eloise Bedwell, esforçou-se muito para reunir a imensa quantidade de dados digitais, e merece outro grito de obrigado.

Para meu CEO, John Jackson, a diretora administrativa, Tara Donovan, e a gerente, Louise Holland ("Yoda", "M" ou "Chefe do Estado Maior", como é chamada nos Estados Unidos) e suas equipes – meu muito obrigado por executar o que executam de forma tão brilhante. O mesmo vale para minha equipe pessoal, que faz um trabalho incrível cuidando de mim e mantendo minha vida nos eixos: Liz McMullan, Holly Adams, Beth Richardson, Paul Rutherford, Saffron Greening e Susie Blythe – obrigado, minha gente! A toda a maravilhosa equipe do escritório, que dá duro e faz com que seja um absoluto prazer chegar diariamente para trabalhar. Muitos deles ficaram depois do expediente para experimentar as receitas do livro (as fotos de alguns estão na página ao lado). Peço uma enorme salva de palmas para vocês por me darem um retorno tão útil. Vocês são simplesmente brilhantes!

Imenso amor e obrigado à gloriosa equipe da televisão que aparece comigo na página ao lado. Vocês me ajudaram a transformar este livro numa série brilhante e nos divertimos muito na realização dessa tarefa. À minha querida equipe da Fresh One: Zoe Collins e Jo Ralling, Roy Ackerman, Martha Delap, Emily Taylor, Kirsten Rogers, Gudren Claire, Lou Dew, Esub Miah e Alex Gardiner. Obrigado também à equipe técnica: Luke Cardiff, Dave Miller, Olly Wiggins, Paul Gwilliams (parabéns pelas fotos adicionais), Mike Sarah, Godfrey Kirby, Daryl Higgins, Andy Young, Pete Bateson, Jeff Brown e Chris Stevens — vocês são mesmo os melhores. Grito obrigado de novo para minhas incríveis meninas da comida, que contribuíram para que a filmagem fosse tão tranquila. Um grande agradecimento para Kate McCullough, Almir Santos e a equipe de edição, Jen Cockburn, Jackie Witts, Barbara Graham, Steve Flatt e Mike Kerr.

E, como não podia deixar de ser, um imenso obrigado à família Forster. A última coisa que Jools desejaria enquanto estava grávida do nosso quarto filho era me ver filmando um livro inteiro em nossa cozinha. Mas tive uma sorte enorme: essas pessoas maravilhosas me deixaram invadir sua linda casa para cozinhar por dias e dias seguidos. Crispin, que é meu marceneiro preferido há uns bons anos, fez especialmente para mim a mesa que aparece nas fotos. Muito obrigado, amigão, e fortes abraços para Gemma e seus dois garotos, Jago e Felix. Adorei cada minuto que passei com vocês.

ÍNDICE